道教
知识读本

中国社会科学院世界宗教研究所 / 编
汪桂平 / 著

宗教文化出版社

图书在版编目(CIP)数据

道教知识读本/汪桂平编著.—2版.——北京:宗教文化出版社,2015.8(2022.10重印)

(宗教知识读本)

ISBN 978—7—5188—0073—5

I.①道… II.①汪… III.①道教—基本知识 IV.①B95

中国版本图书馆CIP数据核字(2015)第191441号

道教知识读本

中国社会科学院世界宗教研究所　编

汪桂平　编著

出版发行： 宗教文化出版社

地　　址： 北京市西城区后海北沿44号　(100009)

电　　话： 64095215(发行部)　64095211(编辑部)

责任编辑： 马　硕

版式设计： 高秋兰

印　　刷： 廊坊市广阳区九洲印刷厂

版本记录： 787毫米×1092毫米　16开本　9.5印张　100千字

2015年9月第2版　2022年10月第3次印刷

书　　号： ISBN 978—7—5188—0073—5

定　　价： 68.00元

总　序

宗教是重要的人类文化现象,属于人的精神生活和社会存在,具有长期性、群众性、民族性、国际性和复杂性。对一般人民群众来说,宗教一直在影响他们的生活,经过长期的历史演变后,有些宗教现象甚至成为民俗生活的重要内容。宗教在我国人民生活中也有着广远的影响,对此我们不可小看。

由于宗教有着悠久的历史,具有自身独特的思想文化体系,并与人的发展和社会发展密切相关,因此对宗教知识的了解应该成为我们必须具备的基础知识。但是由于种种原因,人们对宗教还缺乏正确的认识和理解,有鉴于此,我们组织了一些研究宗教的专家,撰写了这套宗教知识读本。

本书以客观描述的形式,并根据宗教本身的发展规律和特点,有针对性地选择了一些最具历史影响的内容,深入浅出地介绍佛教、道教、伊斯兰教、天主教、基督教和中国宗教及宗教法规政策方面的基本知识。其解释力求准确,内容尽可能通俗,是一套让人了解宗教发展演变的客观规律、掌握有关宗教基本知识的入门书。

在走向新世纪,迎接"全球化"的机遇与挑战的进程中,对宗教知识的了解和掌握,对宗教的重新认识和理解,已极为必要,希望本书能成为广大读者和基层干部的良师益友。书中如有谬误之处,欢迎大家批评指出,以便今后修订重版改正。

中国社会科学院
世界宗教研究所
2000年6月

目　　录

圣迹与宫观

信仰与文化

教 义 与 经 典

1.道教与道家

中华文明源远流长,光辉灿烂。在历史悠久的中国传统思想文化中,始终存在着两条主要的脉络。以孔孟思想为核心的儒家学说,是中国文化的正统;而以老庄思想为代表的道家学说,以及在其基础上产生的道教,则是中国文化的另一主干。儒道互补,再加上外来的佛教,构成近两千年来中国传统文化中三教鼎立的基本格局。道家与道教作为三教之一,曾对中国古代社会政治制度、学术思想、宗教信仰、文学艺术、医药科技等各方面发生过重要的影响。正如鲁迅先生所说:"中国的根柢全在道教。"

近代中国学者多数认为,道家与道教是两个既相联系又有区别的概念。习惯上有时也称道家为道教,或把道教称为道家、黄老。但严格说来,二者不完全是一回事。"道家"一词,始见于西汉司马谈的《论六家要旨》,是指先秦诸子百家中以老庄思想为代表的学派,或者指战国秦汉之际盛行的黄老之学。它们在思想理论上都以“道”作为最高范畴,主张尊道贵德,效法自然,以清静无为法则治国修身,因此被称作道家。至于“道教”,则是在汉代黄老道家理论基础上,吸收古代神仙家的方术和民间巫术鬼神信仰而形成的一种宗教实体。顾名思义,“道教”的意思即“道”的教化或说教,或者说就是信奉“道”,企图通过精神形体的修炼而“成仙得道”的宗教。作为一种宗教实体,道教不仅有其独特的经典教义、神仙信仰和仪式活动,而且还有其宗派传承、教团组织、科戒制度、宗教活动场所。这样的宗教社团,与早期道家学派显然有所不同。

道家与道教虽不能完全等同,但二者之间确有密切的关系。早期道家哲学关于道生万物、气化宇宙、天人合一的宇宙论;关于阴阳对立统一、相互转化的辩证思维;关于自然无为、清虚素朴的治国修身法则;以及其斋心静观、体道合真的神秘主义认识论,都对道教的教理教义和修持法术有着极为深远的影响。概而言之,道家的哲学理念、神仙家的养生方术、古代民间的巫术和鬼神崇拜活动,是为道教所吸收而构造其宗教神学、修炼方术和宗教仪式的三个主要来源。此外,儒家的神道设教思想和忠孝伦理;佛教的轮回报应观念、明心见性之说;墨家的均平思想和刻苦精神,以及阴阳家的占验数术等等,也都为道教所吸收融摄。

两千多年来,道家与道教对中国文化发生过全面而深刻的影响。道教的神仙信仰和道家崇尚自然无为的思想,对中国文学艺术浪漫主义色彩和自然主义审美观念的形成,影响尤深。道教的俗神崇拜活动与中国普通民众的日常生活和文化娱乐水乳交融,息息相关。道教的服药炼丹方术,对中国古代化学和药物学的发展有重要贡献。其行气、房中、存神、内丹等养生方术,则与中国传统医学和人体科学有密切关系。这些优秀的文化遗产,至今仍吸引着许许多多的中国民众。

2. 先秦老庄学派的哲学思想

道家学派是道教的前身,产生于春秋战国时代,是当时“诸子百家”中的一个重要学派。春秋末年的老子,被公认为道家学说的创始人。老子姓李名耳,字伯阳,又称老聃,楚国苦县(今河南鹿邑)人。传说老子西游至函谷关,遇见关令尹喜,请为著书立说。老子遂著书上下二篇,五千余字。因其书“言道德之意”,故后世称之为《道德经》,或称《老子》。

《老子》书中最早提出:宇宙间的天地万物,都来源于一个神秘玄妙的母体——“道”。老子所说的“道”,具有自然无为,无形无名,既看不见摸不着,又不可言说的特性;它是天地开辟之前宇宙浑沌混一的原初形态,又是超越一切有形事物的最高自然法则。大道无形无名,却蕴含着一切有形事物生成发展的玄机。老子说:“道生一,一生二,二生三,三生万物。万物负阴而抱阳,冲气以为和。”就是说:从空虚无形的道首先生出浑沌的元气,元气分为阴阳二气,阴阳二气交感冲和而化生天地万物。这就是道家关于宇宙生成演化的基本理论。

与道相对的另一概念是“德”。德的意思是得道,即认识和体验道,按照道的自然法则修身治国。老子把“道”看作神秘的世界本源,因此反对人们学习具体的知识,被各种纷纭复杂的外部现象所迷惑。他主张人们去直接体认隐藏在不断变化的事物背后的道理和法则。体认的方法是闭目塞听,绝圣弃知,涤除玄览,致虚守静。即闭塞感官与外部事物的接触,放弃主观成见,使内心清静无欲,达到与自然之道完全相合的“玄同”境界。这样才能体悟万物皆根源于道,并最终复归于道的真理。

在老子的思想中还包含着辩证法的因素。他看到美丑、善恶、祸福、有无、难易、高下等对立现象的相互依存关系,并且认识到事物发展变化过程中物极必反,对立双方相互转化的道理。事物的变化运动,循环往复,最终仍然复归于静止不变的道。所以,老子说:“致虚极,守静笃。万物并作,吾以观其复。夫物芸芸,各归其根。归根曰静,是谓复命。”

老子的社会政治思想,反映了部分贵族学者在社会大变革中希望恢复社会秩序,减少战乱争夺的心情。他主张圣人治国修身,皆应效法天道自然,遏制贪欲,贵柔守雌,清静无为。反对儒墨两家倡导礼义,尚贤有为的政治伦理学说,认为这是造成道德沦丧,使人民争夺难治的原因。他的政治理想是回到古代小国寡民,风俗纯朴,人民自足常乐,与世无争的社会状态。

总而言之,老子发现在纷纭复杂的事物背后,存在某种稳定的、支配着事物发展变化的自然法则;并且,以这个法则作为人们观察世界,认识真理和治国修身的指导原则。老子把这一普遍法则命名为“道”。他以天道自然的观点取代了天神创世的观念,这在中国哲学史上具有深远的影响。

继老子之后,战国中期的庄子发展了道家的学说。庄子名周,宋国蒙(今河南商丘)人。他的学说继承了老子以道为万物本源的宇宙论,以及对立面相互依存、相互转化的辩证法思想。并且引申发挥,从而得出万物齐同,物我为一的“齐物论”思想。他认为事物彼此之间的差别,人们关于是非善恶的争论,皆因观察事物的立场和评判标准不同而致,并非客观事物本身性质有什么不同。如果站在“道”的高度来观察,则万物相通为一,是非难分,彼此无别;大小多少、远近高低、美丑贵贱、生死成毁,这些都无所谓不同。既然万物都相通为一,所以人们就不必分辨彼此,争论是非。庄子希望人的认识能够达到混同物我,泯灭是非,彻底忘掉一切矛盾和差别的境界,这即是“坐忘”。就是说要超越认识主体的限制,使自我与大道相通,从而彻底忘掉物我彼此的差别。

庄子还是一个宿命论者。他认为,人生有寿夭贫富、穷达得失的差别,都是自然命运的安排,人对此是不能有所作为的。唯有抱着达观的态度看待生死命运,顺从自然,泰然处之。生不喜,死不悲,得之不拒,失去不争,“知其不可奈何而安之若命”。这样才能成为精神超越自由的人。

他与老子一样,在政治上也主张顺乎自然,无为而治,反对儒家标榜的圣王之治。

老子与庄子的学说，都反映了某些知识分子在动乱变革时代悲凉痛苦的心情。他们以过人的才华，清醒地看到了文明社会所带来的负面影响——“人为物役”。人类为自己创造的技术、财富和权势所役使，物欲横流，以至丧失了内心平静和纯朴自然的本性，陷入无休止的战乱争夺；被自以为是的偏见所束缚，以至无法相互理解沟通，陷入无聊的争辩。生命不得保障，精神不得自由快乐，这样的社会和人生是多么可悲可痛。老庄所提出的顺任自然，与世无争，无为而治的修身治国思想，虽然难免消极保守的局限性，但是其中所包含的深刻智慧，也吸引了后世许多善良的人们。

3.两汉的黄老学

到了战国晚期至秦汉之际，建立统一的中央集权的专制王朝已成为历史发展的潮流。与此相适应，在思想文化方面也出现了“百家合流”的趋势。各家各派的学者，都试图吸收诸家学说之长而建立新的思想理论体系。“黄老道家”，便是在时代潮流影响下，假托黄帝、老子名义，在继承早期道家思想理论基础上，吸收诸子百家学说之长而形成的新道家学派。

汉初，黄老道家继承了老子以道为万物本源的宇宙论，但又吸收了阴阳家的思想，以阴阳气化理论解释道生天地万物的过程。认为空虚无形的道生出最初的元气物质，元气分而为阴阳，阳气清轻上升为天，阴气重浊下凝为地，天地阴阳的冲和交感又产生了万事万物，而人为万物之灵长，与天地相合为三。这是更为完整系统的宇宙生成理论。

但是汉初黄老道家学说的重点,是讲如何运用天道自然的思想来治理国家。他们所讲的治国之道,更多受到稷下道家思想的影响。他们认为治国者必须效法天道,建立一套完整而稳定的法律制度。有了法度,判断是非曲直,用人办事才有统一的标准,赏功罚过才能公正。人人都遵守法令,各安本分,不因自己的爱恶私欲违犯法律,社会才能统一安定。所以黄老道家虽然也反对过多的繁礼苛法,但并不非毁仁义,废弃法令,不反对任贤使能,这与老庄的思想有所不同。其次,黄老道家对"自然无为"思想的解释,也与老庄主张消极退让,反对主观人为的观点有所不同。他们强调"无为而无不为"。无为的意思不是消极地无所作为,而是指人的思想行为都符合客观自然法则,因循自然,应时制宜,"循理而举事"。道家所谓的"无为而治",也不是不要君主官长治理国家,而是君主在上面把握政治纲要,但不过多干预臣下的具体施政措施。同时要克制自己的贪欲野心,不干扰人民的生产活动,"省苛事,节赋敛,毋夺民时",这样才能使人民自然安定归顺。

黄老道家的治国理论,对老庄学说既有继承又有发展。由于它适应了汉朝初年民生凋敝,急需革除秦朝暴政苛法,使人民休养生息,社会恢复安定的现实,因而得到汉初统治者的大力提倡。史载汉文帝、景帝以黄老之术治国,使国家富足,人民安定,史书称之为"文景之治"。

但是,汉武帝亲政后,重新起用儒生。又采纳董仲舒"罢黜百家,独尊儒术”的建议,以儒学作为治国的指导思想。在汉初盛行近七十年的黄老之学,从此失去了作为官方政治学说的地位。

虽然黄老学政治学说不再时兴,而以个人养生为宗旨的学说却继续发展。由于汉武帝迷信神仙方士,汉代社会追求长生成仙风气盛行,更促使黄老养生学与神仙方术结合起来。到了东汉,黄老学已演变为偏重个人养生成仙的学说。大约东汉时成书的《老子河上公章句》,就偏重以清静养生思想来注解《老子》。书中认为老子所说的“道”可分为两种:“常道”,即自然长生之道;“可道”,是经术政教之道。该书以自然长生之道为本,讲述了许多黄老道家养生的方术,如除情去欲,保养精气,呼吸绵绵(气功术)等等,重视精、气、神的保养。

东汉统治者中,有不少人喜好黄老养生术。甚至有人以黄帝、老子作为崇拜的偶像,祷祠求福。据《后汉书》记载,汉明帝时,楚王刘英喜好黄老,“学为浮屠,斋戒祭祀”。把黄帝、老子当作佛祖一样的神灵来祭祀。东汉延熹八年(165 年),桓帝两次派使者去陈国苦县祭祀老子,欲求成仙。大约在此时出现的《老子变化经》,宣称老子行乎古昔,变化其神,托胎于李母腹中,孕育七十二年乃降生楚国。老子生有异相,“颜有三五大理,日角月悬,鼻有双柱,耳有三门,足蹈二羊,手把天关”。又说老子“随世沉浮,退则养精,进则为帝王之师”。自三皇五帝、夏商周楚以至秦汉时代,老子多次变化名号,降生人世,为帝王之师。这样就把老子本人完全神化,变成了生化天地万物,并且经常降世传教的最高神灵。

由于统治者的提倡,黄老学在东汉再次兴盛起来。但这时的黄老学,已与西汉初年大异其趣。黄老学与神仙方术和宗教信仰结合,逐渐被神秘化、宗教化,终于在东汉后期孕育出中国的民族宗教——道教。道教继承和改造了道家的理论,以"道"为最高信仰,以奉道守戒,修仙得道为修持目标。老子作为道的化身,被道教徒奉为教祖。因此,道教与道家学派,在思想渊源上确有密切的关系。不同的是,道教作为一种宗教,不仅有一套系统的教义理论,而且还有其特殊的宗教活动仪式、教派组织、科仪制度和宫观建筑。

4.道教的创世论

汉魏六朝的道教神学,继承和改造了道家的宇宙论。他们将《老子》书中所说的"道",改造为有人格意志的至上神,称作"大道"或"太上道君",并且宣称老子就是大道的化身。进而将史书记述的老子生平故事,以及某些历史传说糅合为一,编造出上起宇宙初始,下及秦汉以后,太上大道君开天辟地,化形降世,辅助帝王,传经授戒,教化生民的系列故事。这套神化老子之道的故事,是道教的"创世记"。它的用意是说:天地万物的化生,人类社会的王朝更替,道教经书教义和方术的传衍变化,都可用一个纵贯古今,超越时空的神秘本源,即太上道君的演化和不断地降世来解释。

对老子的神化有一个逐渐发展的过程。东汉黄老学者已开始编造老子神话。

汉顺帝时,张陵客居蜀郡,学道于鹤鸣山中,假托太上道君降临,授他“天师”称号及“正一盟威之道”。用符咒巫术为人治病,创立五斗米道。相传张陵或其孙张鲁为便于教化信徒,撰写《老子想尔注》。该书对老子所说的“道”加以神化,认为道即是一,“一散形为气,聚形为太上老君”。劝导民众应奉守道诫,施惠散财,竞行忠孝,修善积德,积精服气,保养精神。宣称按道的意志行事,可以致国太平,获得天福仙寿。

这是天师道关于宇宙万物及社会人伦生成发展的典型说教。它以汉代元气生成论思想为本,将《老子》书中所谓的“道”人格化,作为化生元气及天地万物的至上神,并且还编造了大道在五帝三王以来代代降世为帝王之师,垂世立教的神话。这种宗教创世神学是六朝天师道经典中反复论述的主题。例如,《三天内解经》、《太上老君开天经》、《天尊老君名号历劫经》、《老君太上虚无自然本起经》等都有一套太初宇宙混沌,玄元始三气化生天地万物的说法,而对老子降世传教的故事则编造得更为神奇。

如果说天师道派主要是通过神化老子而形成其神学的话,那么六朝以来江南葛玄、葛洪一系的神仙道教,则另创了元始天王开天辟地,创世传教的神话。葛洪《枕中书》说:昔二仪未分,天地日月未具,状如鸡子,混沌玄黄,已有盘古真人,自号元始天王。经历四劫,天形如巨盖,上无所系,下无所根,天地之外,辽属无端,玄玄太空,无响无声。复经四劫,二仪始分，相去三万六千里。元始天王在天中心之上，名曰玉京山，山中宫殿并金玉饰之，常仰吸天气，俯饮地泉。复经二劫，忽生太元玉女，在石涧积水之中，出而表言，人形具足，天姿绝妙，常游厚地之间，仰吸天元，号曰太元圣母。元始君下游见之，乃与通气结精，招还上宫。元始君经一劫，乃一施太元母，生天皇十三头，封为扶桑大帝东王公，号曰元阳父。又生九光玄女，号曰太真西王母，是西汉夫人。天皇生地皇十一头，地皇生人皇九头，各治三万六千岁。圣真出见，受道《三皇天文》，能召请天上大圣及地下神灵。

在这篇神话故事中，葛洪综合秦汉以来流行的宇宙生成论思想、三皇五帝古史传说、天文学浑天说，以及南方少数民族中流传的盘古王开天辟地故事，塑造了与天师道所奉"太上大道君"不同的道教尊神元始天王。讲述了元始天王开辟天地，三皇五帝治世及道书《三皇文》传世的神话。这在道教神学的演变过程中有着重要的影响。在东晋南朝新出的《上清》、《灵宝》系道经中，太上大道君名号仍然经常出现，但其至上神的地位却逐渐被"元始天尊"所取代，元始天尊成为传教说经的最高尊神。

隋唐时代，道教已形成了以元始天尊为首的信仰体系，并且以元始天尊开劫度人，传教说经的神话来解释道教经书教义体系的建立过程。这种宗教神学较之天师道宣扬的老君降世传教说略有不同，但实质上都属于神创论的世界观。

5.道教贵己重生的人生观

道家与道教的人生观,以重视个体生命(贵己重生)的价值观为本,探讨如何使个人精神快乐和生命永恒的问题。“贵己重生”思想源于先秦杨朱学派。杨朱派的思想纲领是“全性保真,不以物累形”。他们认为:人所追求的首先是个人自身的生存,一切客观事物的意义仅仅在于其是否有利于保全自身生命的存在。如果拿外在的“物”或“天下”与自身相比,论其轻重,则自身的生命为重,而身外之物和天下为轻。因此,保全自身生命,使之不受名利物欲的牵累和损害,这是首要的行为准则。显而易见,这种“贵己为我”、“轻物重生”的思想是个人主义的人生价值观。这种个人主义人生观虽有自私狭隘和消极保守的局限性,但与损人利己的极端个人主义是不同的。

杨朱派的学说对庄子有重要影响。庄子悲叹在现实社会中个人生存的无保障和精神不自由,因此吸收了杨朱派贵己重生的思想,强调要珍视个体生命的存在,不要“以身殉物”。只有放弃对名利物欲的追逐,才能避免为物所累。但是,与早期杨朱派不同,庄子所要保全的不只是人的肉体生命,更重要的是保全人的精神自由。庄子认识到:人生的自由快乐和生命的永恒,在现实中都难以实现。所以,对自由和永生的愿望,最终只能落实为对某种理想人格的追求,在精神上超越自我而达到“逍遥”境界。因此,庄子主张忘我、无待。他对生死有极为透彻的认识。认为天地万物的生死变化,都是气的聚散和自然现象。因此,不必为生命的短暂而忧伤,为死亡的必然而悲哀。

杨朱派与庄周派的人生观,对后人都有重要影响。魏晋之际,天下分裂动乱,礼教沦丧,生灵涂炭,士族文人痛感人生悲凉,功名利禄不可久恃。因而,道家思想复兴,形成魏晋玄学思潮。神仙道教在士族中也有不少信徒,养生避世,服食仙药成为当时贵族社会的风气。庄子主张顺任自然,追求精神自由和超越的人生观,对魏晋玄学家影响极大。

魏晋士族文人对人生的态度是多样的。同样禀承道家宿命天定,自然无为的思想,著名道教学者葛洪却得出完全不同的结论。葛洪对现实人生的短暂悲苦也深有感触,然而他没有因此厌弃人生,故作旷达超脱或自暴自弃,反而更加坚韧的追索着生命的意义。在他看来,人生最可宝贵的是生命,"生之于我,利莫大焉。论其贵贱,虽爵为帝王,不足以此法比焉;论其轻重,虽富有天下,不足以此术易焉"。正因为生命可贵,所以上自帝王,下至百姓,莫不欲长生不死。这种愿望合乎天意,本于人情。从爱惜生命的立场出发,葛洪尖锐地批评了庄子和某些魏晋玄学家不信长生,在生死问题上无所作为的观点。在《抱朴子内篇》书中,葛洪反复论证神仙可学,长生可求。认为人之性命不完全取决于天命,人类有可能凭借自己的力量和智慧来改变生死命运。只要勤学苦修神仙方术,就能将命运掌握在自己手中,夺天地之造化,制天命而永生。

《黄白》篇说:“天下悠悠皆可长生也,患于犹豫故不成耳。……”《龟甲文》曰:“我命在我不在天,还丹成金亿万年。古人岂欺我哉!”这是呼唤人类战胜自然命运的赞歌。

道家所谓的“天道自然”,含义复杂,至少可以有两种不同的解释。其一是将自然看作纯粹客观的天地万物演化过程,人类只能随顺自然变化而无所作为;其二是在自然的演化过程中,人类可以主动地适应自然变化,掌握其变化法则,参与物化。以葛洪为代表的神仙道教徒,纠正了对道家自然观的片面理解。他们从爱惜生命的立场出发,坚信“我命在我不在天”,长生可为,方术有效,主张为追求长生而积极探索自然和生命的秘密。葛洪所追求的长生成仙固然是虚幻的,人类的技术条件至今还远不能克服生老病死的自然法则,将生命延至永恒。但是葛洪反对消极顺应自然,敢于向世俗认定的常理挑战,并认真总结和研究秦汉以来神仙家的养生长寿方术。这种积极进取的精神,不正是真正的科学家所应具备的品质么?在中国历史上,葛洪及后来的许多道教学者之所以能在医药养生、化学和工艺技术等方面取得许多重要的成就,正是与他们对人生执著眷恋,对生命奥秘的不断探索分不开的。

6.重玄之道

南北朝隋唐时代,道教哲学和修持理论有重大发展。当时的道教哲学思想,被称作“重玄学”。重玄学说的主要特点,是融合佛道二教思想,对道体有无、形神关系、性命修炼等问

题进行探讨,旨在指导信徒修仙证道,安定身心,解脱生死烦恼,悟入重玄境界。归纳起来,重玄学主要讨论了以下三个问题:

一、有无双遣的道体论

对“道”的认识和解释,是道家哲学的首要论题。《老子》首先提出:道既是常有,又是常无;有与无“同出而异名,同谓之玄。玄之又玄,众妙之门”。魏晋玄学家对老子之道有不同的解释。贵无派的王弼认为道体是“无”,天下万物是“有”,无与有的关系是本与末的关系。治国修身都应以无为本,崇本息末。崇有派的裴頠则认为老子所说的道,虽“以无为辞,而旨在全有”。无只是假名而非真无,作为万物本体的道,是比万物更真实存在的“全有”。郭象的“独化论”综合贵无、崇有二说,认为无不在有之外,就在有之中。

南北朝隋唐的道教学者在解释《老子》时,认为无论肯定道体是有是无,都是执著偏见,应该有无双遣,“既不滞有,亦不滞无”,而持非有非无的“中道观”;进而执中无中,将遣除偏执的念头也除去,这才是老子所说“玄之又玄”的本意。玄之又玄就是重玄。

重玄学者借用佛教般若学对“真如实相”的论证方法,宣称道体非有非无,亦有亦无,有无不定;道无所不在,而所在非道;道为万物之妙本,而万物实无本可本;道与物不一不异,而一而异;“道不离物,物不离道。道外无物,物外无道。用即道物,体即物道。”这些话听起来就像绕口令,其实质是以既不肯定也不否定的辩证逻辑，来说明道体超言绝象的本性。唯有遣除分别有无、色空的主观想法，方可悟得道体，达到自我与道相通的境界。

二、众生有道性论

重玄学者受佛教讨论“佛性”的影响，也探讨了“道性”问题。所谓“道性”，指一切众生禀赋于道，与道同一的真心本性。重玄家认为，道既非无有，亦非无无，而是有与无对立统一的“妙有真无”。这个真无妙有即是道性。从道体虚寂清静的本质来看，道性是无；从道能应感万物的功能来看，道性是有。道体无形而有用，非物而能应物；道遍在一切，故一切众生皆含道性；道性与众生之性非一非异，是一亦是二。正因为道与众生既相同又有不同，所以众生应该修道，并且能够修道而得道。

隋唐重玄学还吸取佛教心性说，提出道性就是众生清静空寂的真心本性。众生的心性得自道体，本来清静澄明，具足一切功德智慧，但为后天尘缘迷惑染蔽，以致心动神驰，与道隔断。若能方便修行，断诸烦恼，清除污垢，恢复本心，则能复归于道。

三、观行坐忘的修道方法

所谓重玄之道，不仅指非有非无的道体和众生本具的清静道性，更是指导道教徒悟道修心的方法。重玄学者吸取大乘佛教的“观行”方法，作为破除执著妄念，契入重玄的门径。所谓观行，又称内观或定观，是指用非无非有的观点来观察分析身心境物,澄心定念,以期悟得真道。隋唐时出现许多指导内观修行的经典。例如,《太上老君说常清静经》分析世人身心不能常保清静的原因,是受情欲扰乱牵累,能澄心遣欲则心神自然清静。澄心遣欲的要诀是"有无双谴",使自心既不滞于有,又不滞于无;既不执著于境物,又能与物常应常静,此之谓常清静。能达到如此境界者,方可悟入真道。

王玄览《玄珠录》对观心定心的论述更近于佛教。他认为,"心生则法灭",修心者应该常以无心为心,使心无生无灭。其修心要诀为:"莫令心不住,莫令住无心,于中无抑制,任之取自在,是则为正行"。他还指出,求心喻如剥芭蕉,剥至无皮无心处,便是大一(真心)。司马承祯的《坐忘论》则吸取庄子所说"斋心坐忘"为悟道登真方法。其坐忘修心的要诀在收心摄念,使心念不起,"内不觉其一身,外不知乎宇宙,与道冥一,万虑俱遣"。具体修行程序分为敬信、断缘、收心、简事、真观、泰定、得道等七个阶段。在最后阶段,修道者可达到形神虚融,与道合一,超越生死变灭的境界。

从以上简述可以知道:隋唐重玄学是融合佛道思想,兼具道体论、心性论和修心悟道方法的宗教哲学体系。这一学说的出现,使道家老庄哲学的内容更加丰富,并且为后来道教内丹心性修炼提供了理论依据。

7.性命双修

道家与道教哲学的根本宗旨是"全性保真",即保全个人生命和自然本性,追求生命的永恒和人性的解放。从尊重自然生命的价值观念出发,结合神仙信仰和养生方法,形成了神仙道教和内丹道派的生命哲学和修炼方术;结合佛教般若学及道家的存神养性论,则形成了道教的心性哲学及识心见性的修持方法。

道教生命哲学从对生命现象的探索中,发现精气是生命的源泉,人体小宇宙与天地大宇宙皆以元精元气的阴阳交感为生成本原,都依赖元气的周流运行而存在。从宇宙生生不息的事实中,道教徒树立起长生可为的信念。认为人通过道术修炼,模拟自然界阴阳消长的周期运行规律,达到"生道合一",即可获得永恒的生命。具体修炼方法大致可分为内修和外炼两大类。外炼即烧丹服药,以丹药固养形魄;内修方法则有导引行气,房中固精,以及存思身中魂神等方术,最终发展为内丹修命工夫。

道教心性哲学讨论心性本体对生命实体的超越和复归问题。性即道性,亦称自然真性。它是人心中本来固有,未曾被世俗尘垢所污染的纯朴本性,是与天道同一的"本我"或"真我"。这个本我正是道家与道教所要追求的理想境界。它超越了生命实体的贪念欲望,不受任何外在物利的诱惑和困扰,自由自在,圆满自足。庄子以这种精神超越逍遥的境界为人生理想,并以神秘的心斋、坐忘作为达到这一理想境界的手段。后来道教重玄学派和全真派吸收佛教思想来发挥庄子学说,提出体道悟玄,识心见性的修道方法,也是以复归本我的精神人格而非肉体不死的神仙作为人生的最终归宿。

从魏晋南北朝至隋唐,神仙道教和重玄学派为追求生命永恒和心性复归的目标,对修仙的理论和方术做了许多探讨和实践,但也出现了不同的偏向。神仙道教的宗旨是通过精气神的锻炼,使自身与道体合一,达到长生不死。神仙道教徒执著神仙实有,追求肉体长生,将生命价值的实现寄托于炼形成仙的目标。殚精竭虑,孜孜以求,自我身心难免受到羁绊。

南北朝隋唐流行的道教重玄哲学,吸取佛教心性论,探讨了道性与人性的关系问题。在讨论中形成了道性即众生未受染蔽的真心本性,故修道即是修心的思想。确定以体道悟玄,复归清静无染的自然本性为最高修持目标。唐代道士吴筠批评了某些道教学者在修炼中只求心性超越,而不肯炼形成仙的主张,提出"形神双修,以有契无"。标明道教重新回到追求长生的立场。因为从道教本身的立场来看,如果只言修性而不讲炼形长生,那就与主张"见性成佛"的佛教没什么区别了。因此,道教哲学不能一味地破有说空。

自吴筠之后,主张形神双修的思想在晚唐五代渐成潮流。这时兴起的钟吕内丹派方术,都主张以心性修炼与形气修炼结合。他们改造神仙道教的外丹和炼形术,以自身为鼎器,精气为药物,以阳神控驭精气在自身中依阴阳法则循环运行,凝练成丹,即是内丹。宣称内炼成功,精气神在丹田中凝成不坏的"阳神",可从顶门自由出入,飞升天界,超出生死。

到了宋元时期,"性命双修"成为道教内丹派修炼的基本法则。北宋道士张伯端认为,儒释道三教宗旨同归于“性命”二字。但是佛教以空寂为宗,主张顿悟圆通,直超彼岸,其教法“详言性而略言命”,未免偏颇。早期神仙道教以炼丹养生为务,欲图长生不死,飞升成仙,但其方术“详言命而略言性”,亦不足取。儒家经书中虽有“穷理尽性以至于命”之说,但其学说宗旨,在序正人伦,施行仁义教化,对性命修炼则言之未详。因此唯有内丹派提倡性命双修,形神俱妙,才是唯一得到三教真传的“最上乘法”。但是张伯端的性命双修是先修命而后修性。其丹法先炼精化炁、炼炁化神而结成金丹,谓之命功;最后炼神还虚,称作性功。与张伯端相对的内丹派北宗(即全真道),则主张先修性,后修命。

8.全真道的识心见性说

全真道是道教后期最重要的教派。教祖王重阳及其弟子改革唐宋道教积弊,重新确立了道家全性保真,追求精神超越,与道合一的人生理想。“全真”二字是其教义纲领。全真的意思是“全其本真”,即保全作为人性命之根本的精气神三要素,使其不受污损。“全精、全气、全神”,是全真道修持的目标。

全真道在修持方面反对早期道教的外丹烧炼和符咒禳灾术,而师法晚唐北宋以来新兴的内丹派方术,主张“性命双修”。但与北宋张伯端“先命后性”的主张不同,全真道主张先性后命,以修性为主,强调以“识心见性”为修仙正途。“识心见性”本是禅宗提倡的修持方法，全真道却以之作为修道成仙的根本途径。全真家认为人心固有的“本来真性”（或称真心、元神、本来一灵）不生不灭，超越生死，是成仙证真的唯一根据；而四大假合的肉体则有生有灭，不可能永存不死。王重阳《金关玉锁诀》说：“唯一灵是真，肉身四大是假。”人的自心真性得自道体，本来清静无染，但世人皆被后天的物欲所迷惑，不识自心真性，因而流转生死苦海，不得解脱。修行者若能在心地上做功夫，对境忘缘，澄心静虑，一念回光，识得自心真性，保持不乱，便可证得无形无相的“法身”，使真性超越生死之外。王重阳《授丹阳二十四诀》说：“是这真性不乱，万缘不挂，不去不来，此是长生不死也。”这样，全真道对早期道教的修道成仙信仰作了较大的改变，从追求肉体长生不死，飞升上清，转变为心性超越长存而形体不离凡间。王重阳认为，道教养生是养法身而非肉身，“法身者，无形之相也。不空不有，不下不高，非短非长，用之则无所不通，藏之则昏默无迹。”这个无形的法身，即众生从道体禀受的元神真性。他还说：修道以锻炼性命为根本，修炼成功者可超凡入圣。但是，超凡入圣的含义不是肉体白日升天，离开凡尘，而是“身在人间而神游天上”，“形寄于尘中而心明于物外”；离凡世是指心离而非身离。他说：“心忘虑念即超欲界，心忘诸境即超色界，不著空见即超无色界。”这种精神超出三界的人，身在凡间而心在圣境，犹如莲根在淤泥之中而花开虚空之美。

以识心见性为宗旨的全真家，其修炼实践则是澄心遣欲。

全真道将道家传统的节欲说发展到极端，宣扬人的七情六欲都是成仙证真的障碍。《重阳全真集》说："修行切忌顺人情，顺着人情道不成。"要人把七情五欲都消散，脱人之壳而与天为徒。马钰《丹阳真人语录》说："但能澄心遣欲，便是神仙"。澄心遣欲的目的是使人心地清静，随时注意扫除物欲之心而使真性显现。《晋真人语录》说："只要无心无念，不着一切物，湛湛澄澄，内外无事，乃是见性。"

全真道在宣扬识心见性的同时，还要求其信徒必须有克己忍辱，禁欲自苦精神。王重阳及其弟子吸取佛教人生观，极力渲染生命短促无常及生死轮回之苦，劝导人们看破功名富贵皆虚幻不实，家庭为牢狱，儿女是债主，夫妻恩爱是金枷玉锁。应及早跳出樊笼，立志求道学仙，追求天上真乐，脱离人间火宅。因此，全真道规定道士必须出家住观，遵守严格的清规戒律，不娶妻室，不茹荤腥，居处不雕梁峻宇，要断除酒色财气，爱念忧虑，乃至遏制基本的生理需要。马钰教导弟子："道人不厌贫，贫乃养生之本。饥则餐一钵粥，睡来铺一束草，褴褴褛褛，以度朝夕，正是道人活计。"

全真道既倡导识心见性，又说修行不能只在心地上作工夫，还要在传道济世的实践中体道悟真。全真道士的修炼，包括个人澄心内修的"真功"与传道济世的"真行"两个方面。一方面要求信徒除情去欲，忍耻含垢，安贫乐贱，刻苦勤劳；另一方面则要积极参与社会活动，济贫拔苦，行善积德。学道之人必须功行两全，既要出世无为（修心体道），又要入世有为

(行善济世),二者不可偏废。由此可见,全真道的修炼更注重宗教伦理的社会实践。

9.《道藏》

道教在其形成和发展的漫长历史中,积累了大量的经典文书。道教的典籍汇编起来称为《道藏》。“道藏”之名始于唐代,它是汇集收藏所有道教经典及有关书籍的大丛书,从编纂至今已有一千三百多年的历史了。

道教的形成在东汉后期,但其渊源可追溯到更早的道家思想和神仙方术,因此道教典籍的出现也可追溯至创立之前。东汉以前与道教有关的著作有数百种,但这些古籍现在多已失传,留下来的少数经典,如《老子》、《庄子》、《淮南子》、《墨子》、《孙子兵法》、《黄帝内经》等书,后来都被当作道教的典籍,收入《道藏》之中。

东汉时期,道教孕育形成,出现了一些早期道教经书。包括《太平经》、《老子河上公章句》、《老子想尔注》、《周易参同契》等。魏晋时期,道教经书典籍逐渐增多。晋代道教学者葛洪,将其师郑隐收藏的道书著录于《抱朴子·遐览篇》中,以便传示后人。这是现存最早专门著录道书的目录。

东晋南北朝时期,道教内部出现大规模的造经活动。《上清经》、《灵宝经》、《三皇经》、《正一法文》等大批重要经典相继问世。一些著名的道士开始搜集整理道书,如南朝刘宋时陆修静广集道书,考订源流,校刊真伪,编撰《三洞经书目录》,

著录道教经书及药方、符图 1228 卷。到了唐玄宗开元年间,政府下诏搜访天下道经,汇编成《开元道藏》,共收入道书 3744 卷,这是道书最早的结集成藏。北宋真宗时,道士张君房又受命主持编修了《大宋天宫宝藏》,共有 4565 卷,分装成 466 函。仁宗天圣年间,张君房摘录《天宫宝藏》之精要,编成《云笈七签》120 卷,进呈御览。此书被称作"小道藏",是研究道教的重要资料。

宋徽宗即位后,又下诏访求道教经书,编成《万寿道藏》,凡 5481 卷,分装为 540 函。金朝在章宗时分遣道士搜访遗经,编成《大金玄都宝藏》,凡 602 函,6455 卷。但这部《道藏》的刻板不久就因天长观失火而焚毁。

元初全真道士宋德方又倡导刊刻了《玄都宝藏》,已增加到 7800 余卷。遗憾的是,上述唐宋金元时期的《道藏》,现在均已亡佚。

今天我们见到的《道藏》,是由明朝第 43 代天师张宇初及其弟张宇清奉诏主持编修的。至明英宗正统九年(1444),全藏编成《正统道藏》。神宗万历三十五年(1607),又敕令第 50 代天师张国祥等编成《续道藏》。这部明代《道藏》共收入道书 1476 种,5485 卷,分装为 512 函,依《千字文》顺序标定函目。《正统道藏》刊成后,在明清两代曾多次印刷,颁赐各地道教宫观。清光绪庚子年(1900)八国联军侵入北京,《道藏》经版悉遭焚毁。各地宫观所藏的《道藏》印本,也因战乱灾祸而存者甚少。北京白云观原藏有明代印制的《道藏》一部,是迄今能够见到的唯一保存完好的明《道藏》。

《正统道藏》在清末已为世所罕见。民国初,总统徐世昌组织影印《道藏》,以白云观所藏明《道藏》为底本,由上海涵芬楼书馆印制 350 部,完成于 1923-1926 年间。涵芬楼影印本将明《道藏》大字梵夹本改为线装册页本,凡 1120 册。近年来大陆和台湾又出现一些新的《正统道藏》影印本,都是据涵芬楼本影印的。

10.道教的三洞四辅说

自南北朝以来,道教典籍通常以“三洞四辅十二类”的方法分类。就是说将全部道书划分为“三洞四辅”七大部类;其中“三洞”各部又细分为十二小类。因此,道教典籍又被称作“三洞真经”或“七部经书”“三十六部经”。三洞四辅十二类的名目如下:

三洞:洞真部、洞玄部、洞神部;四辅:太玄部、太平部、太清部、正一部;十二类:本文类、神符类、玉诀类、灵图类、谱录类、戒律类、威仪类、方法类、众术类、记传类、赞颂类、章表类。

上述分类体例,是在南北朝时期道士们编撰道书目录的过程中逐步形成的。“三洞四辅”所著录的经书,是当时已问世的七组重要道经。道教学者对这些经书的源出及其相互关系,从神学上加以解释,形成了道教特有的经学体系。据《道教义枢》卷二的解释:三洞经书是道教的主经,洞真部为《上清经》,乃玉清境洞真教主天宝君所出;洞玄部为《灵宝经》,是上清境洞玄教主灵宝君所出;洞神部为《三皇经》,是太清境洞神教主神宝君所出。三洞之外又有四部辅助经典,《太清经》辅洞神部,是炼丹服食类经书;《太平经》辅洞玄部,即于吉所传的《太平经》;《太玄经》辅洞真部,是指《道德经》及其注解;《正一法文》则指汉魏六朝天师道的经戒法箓,据说兼辅三洞真经。

三洞四辅不仅是道书的分类方法,而且有区分道经品级和排列道士阶级次序的含义。按道教的规定,修持不同经戒的道士,各有不同的称号。由于各家经法的传授修行侧重不同,并且各种经典有品级高低之分,因此道士修持不同经法而得道的位业也有区别。例如修持洞神经法仅能成仙人,修持灵宝经法可以成真人,修持上清经者则可成圣人。由此可知,三洞四辅分类体例,与道教的神学教义和修持理论有密切的关系。它在道教历史上影响深远,隋唐以后历代整理道书,编修《道藏》,均沿用这一分类体例。

11.扶乩与道教经书

在数千种道教经文典籍中,传说是神仙真人口授的篇目比比皆是。这些经卷果真是神灵下传吗?不,实际上它们都是道教法师们假托神的名义而造作的。其目的是为了表示道经的古朴,宣扬神灵所作以提高经文的地位,与其他宗教经文抗衡。有的经文中加入预言谶语,影射时事,是为了达到某种政治宣传的目的。

道教法师依托真人造作道经的手法也是不完全相同的，有的直接托称某某真人授，有的宣称发现于深山石穴或地下土瓮，有的是通过乩人传写成文。乩，就是扶乩，也作“扶箕”，又叫做“扶鸾”。其占具主要有“乩架”，即丁字形的木架。还有乩笔，即缚在乩架直端的木锥。下面摆放供乩笔写字的沙盘，称作“乩盘”。没有细沙，可用灰土代替。乩笔插在一个肖箕上。有的地区是用一个竹圈，或铁圈，圈上固定一支笔。

扶乩时，先请两名“鸾生”扶乩架之横木两端，使乩笔稍悬于乩盘之上，然后焚香、念咒，念某某神灵附降在身。神至，则乩笔自动在沙盘上划出文字；神去，乩笔也停止划动。所写文字，由旁边的人记录下来，这就是神灵的指示，整理成文字后，就成了有灵验的经典了。扶乩来源于古代占卜问神术，人们有了疑难，就通过龟卜、蓍筮向神祈祷，请求神灵指示，预测吉凶，再根据神的指示去办事。西汉以后，产生了大量的谶纬书。道教法师们承袭其技，扶乩降笔，依托神灵造作的道书，在魏晋时期开始大量涌现。如道教上清派真经的出世，《真诰·翼真检》曰：“伏寻《上清真经》出世之源，始于晋哀帝兴宁二年太岁甲子，紫虚元君上真司命南岳魏夫人下降，授弟子琅琊王司徒公府舍人杨某，使作隶字写出。”托言由南岳魏夫人魏华存女祭酒降授，实际上是杨羲扶乩而成。

魏晋南北朝之际，是道教大发展的时期，道教教义理论化，斋醮仪式逐渐形成定制，宫观的建立，产生道教住观制度，同时，道教经文大量涌现。据我们研究，大部分《上清经》、

《灵宝经》、《三皇文》造作都在这一时代。如《登真隐诀》、《上清三真旨要玉诀》、《上清明堂元真经诀》、《上清高上玉晨凤台曲素上经》、《九真中经》、《九真中经八道秘言》、《洞真上清青要紫书金根经》、《道迹灵仙记》等。宋、元、明、清以来,占卜扶乩迷信更加猖狂,伪托古人之作,在现存道经中占有相当一部分。元人俞琰《席上腐谈》说:“托古人之名为之者,如《阴真君还丹歌》、《三茅君大道歌》、《葛仙翁流珠歌》、《许旌阳醉思仙歌》。”其他如《大洞玉经》、《太上无极总真大洞仙经》、《太上玄灵北斗本命延生经》、《天童护命经》以及《吕祖前八品经》、《吕祖后八品经》、《吕祖醒心经》集,都是依托之作。

历史与宗派

1.道教的历史分期

道教形成宗教实体,大约始于东汉。从先秦道家发展为汉代道教,经历了数百年之久,这是道教的前史。道教形成后,又随着中国古代社会制度的变更和文化潮流的演进而不断发展。近两千年的道教史,大致如下:

东汉至魏晋南北朝,是道教形成和确立的时期。道教在东汉后期形成实体,创立了太平道、五斗米道等民间原始教团,神仙方士的团体也开始出现。后经魏晋南北朝数百年的改造发展,道教的经典教义、修持方术、科戒仪范渐趋完备,新兴道派孳生繁衍,并得到统治者的承认,从早期民间宗教演变为成熟的正统宗教。

隋唐至北宋时期,由于统治阶层的尊崇,道教极为兴盛。唐玄宗、宋真宗、徽宗,都是崇信道教的著名皇帝。他们编造天神显灵和天书降世的故事,优待道士,下令编修《道藏》,修造宫观,使道教的社会影响扩大。道教的哲学、养生术、炼丹术、科仪规章也更为完善。但是道教被利用为神化封建帝王专制统治的工具，部分上层道士腐化骄奢，也导致有识之士对道教的批评。

晚唐北宋以来，道教内部出现一些新的变化，主要表现为兼融儒佛道三教思想，以修持内丹术为主的金丹道派开始兴起。到了南宋金元时期，道教发生变革。在华北出现了全真道、太一道、真大道等新道派，南方出现了金丹派南宗、天心、神霄、清微、净明等新道派，早期的天师道、上清派、灵宝派在教义和道法上也有革新。宣扬三教合一，注重内丹修炼，是这一时期新道教的主要特点。

明清两代五百余年，中国传统社会进入晚期，日趋腐朽没落，作为传统文化三大支柱的儒佛道三教也陷入停滞僵化。这一时期民间秘密宗教社团的兴起和西方基督教文化的传入，加速了中国传统文化的衰落。近代中国道教承明清余绪，未能振兴。时至今日，道教已丧失作为中国文化主流的地位。但如同儒学和佛教一样，道教对中国人民的精神生活和风俗民情，仍有着很大的影响。

2.太平道的创立

道教的正式形成，在东汉顺帝以后，是当时社会上流行的黄老之学与神仙方术、鬼神迷信相结合的产物。东汉道教组织最初兴起于民间，主要有东方的太平道和西南地区的五斗米道两大教团。

在东汉桓帝、灵帝时期，社会上流行一部神书名《太平青领书》。其内容主要讲奉天地，顺五行，澄清大乱，使天下太平的政治理想；亦有兴国广嗣，养生成仙之术，而多巫觋杂语，是一部反映汉代巫师术士思想的著作。

上面所说的这部神书，就是早期道教奉持的重要经典《太平经》。它的内容非常庞杂，但主要是讲怎样“去乱世，致太平”。书中假托神人降世，提出许多改良政治，挽救社会危机的主张。例如，统治者应该先以仁义道德治国，不得已时再施用刑罚；皇帝要重用贤良，疏远奸险小人，制定政策时应听取老百姓的意见；反对官府横征暴敛，富人聚积财富，主张人人自食其力，有了钱财应该救穷周急；等等。这些主张既有为统治者出谋划策的内容，也反映了农民阶级的某些愿望和要求。作为一部宗教神秘著作，《太平经》书中还有许多关于养生成仙，使皇帝多有子嗣的方术，以及用符咒治病的巫术。

东汉末年，由于外戚、宦官垄断朝政，压制清议，豪强地主兼并土地，农民流离失所，加之灾疫流行，社会危机十分严重。这时巨鹿人张角便利用《太平经》传播道教，组织民众反抗汉朝的统治。汉灵帝熹平、光和年间(172—184年)，张角自称“大贤良师”，奉事黄老道，蓄养弟子。他以符水咒说之术为人疗病，病者颇愈，百姓因而信之。张角分遣弟子八人出使四方，以“善道”教化天下，十余年间，信徒多至数十万。张角依军事形式组织教徒，设置三十六“方”(即地方教团)，大方万余人，小方六七千，各立渠帅统领其事。

张角建立的教团被称作“太平道”。太平道主要利用民间流行的巫术治病方法传教。信徒向神灵跪拜叩头,忏悔罪过,然后饮用符水(在纸上画符,焚烧后把纸灰投入清水),念诵咒语,以消灾除病。太平道还信奉“中黄太乙”为最高神,以实现“黄天太平”为纲领。张角宣称:“苍天已死,黄天当立,岁在甲子,天下大吉。”意思是汉朝政权(苍天)就要灭亡,代替汉朝的新政权(黄天)即将建立,到甲子年天下就会太平。这是号召太平道教徒起义,推翻汉朝统治的战斗口号。

汉灵帝中平元年(甲子年,184 年),张角驰令三十六方部帅,同时发动起义。起义者皆头戴黄巾以为标志,故史称“黄巾起义”。张角自称“天公将军”,其弟张宝称“地公将军”,张梁称“人公将军”。黄巾军在各地燔烧官府,攻占州郡,声势浩大。官军望风披靡,长吏多逃亡。旬月之间,天下响应,京师震动。东汉王朝立即派军前往镇压。经过十多个月激战,张角病死,张宝、张梁阵亡,其余各地的黄巾部帅也或斩或俘,起义军遭到残酷镇压。太平道的教团组织,后来也渐渐散亡了。

黄巾起义是利用道教组织发动的第一次大规模农民起义,也是标志道教开始登上历史舞台的一件大事。这次起义虽因统治者重兵围剿而失败,但东汉王朝也随即陷入四分五裂。

3.五斗米道的形成

五斗米道是东汉时在西南巴蜀汉中地区(今四川及陕西

南部)形成的另一个民间道教组织,其创始人为沛国(今江苏沛县)人张陵。张陵字辅汉,沛国人,学道于鹤鸣山,著道书二十四篇,精思炼志。传说顺帝汉安元年(142 年),有天神太上大道君(即老子)降临蜀郡,传授张陵"天师"称号及"正一盟威之道"。陵受之,能治病,于是百姓翕然奉事之以为师,弟子多至数万户。张陵乃设立"祭酒"统领民户,有如官长。他还规定诸弟子须轮流交纳米绢、器物、纸笔、薪柴等物。张陵自称天师,其子张衡称嗣天师,衡子张鲁称系天师。故三张祖孙创立的这个教团,后世又称之为天师道。

到了汉灵帝熹平、光和年间,当张角在东方传播太平道时,五斗米道在巴蜀地区也广泛传播开来。到了汉末,张鲁成为割据巴、汉的地方军阀,建立了政教合一的地方政权。张鲁不设官吏,而以五斗米道的"祭酒"治民。史书称:鲁自号"师君",以鬼道教民,其初来学者名"鬼卒",后号为祭酒。祭酒各领部众,统众多者称为"治头大祭酒"。张鲁的道法,大抵与其祖父张陵和米巫张修相同。教民诚信,不欺诈,有病者但令首悔罪过而已。又下令众祭酒各于道路旁建起"义舍",内置米肉供给行人。食者量腹取足,吃得过多则"鬼能病之"。对犯法者先赦免三次,然后才用刑。有小过者,罚修路百步抵罪。据说,当地各族民众都乐于服从张鲁政权的统治,"民夷信向之"。

相传张陵或张鲁为了教化道民,撰写了《老子想尔注》一书。这本书以道教的教义改造《老子》思想。书中对老子所说的“道”加以神化，变成能发号施令的神灵。道的化身即老子，称作“太上老君”。劝导民众应奉道守戒，施惠散财，竞行忠孝，修善积德。又教人修习长生术，积精服气，保养精神，如此便可获得仙寿天福。所以书中说：“奉道诫，积善成功，积精成神，神成仙寿。”这些思想都是道家原来没有的宗教信条。

张鲁政权在汉末军阀混战的间隙中维持了近三十年。到了公元215年，曹操率大军征讨汉中，张鲁率家属及部下投降。张鲁降曹后，汉中地区不久被刘备攻占，当地民众多数随曹军北撤，迁居关陇、洛阳、邺城等地。这样，五斗米道的大本营便从西南转移到北方，成为魏晋时期道教的主要流派。

4.寇谦之改造五斗米道为新天师道

五斗米道自汉末张鲁降曹后，迁移北方。不久张鲁去世，教团的发展暂时停滞。其内部发生分化，一些祭酒道官独自传授教职，招收弟子，滥收钱物。西晋时，巴蜀地区的五斗米道恢复活动。到了东晋，五斗米道又在江南复兴，许多门阀贵族都信奉五斗米道。当时在江浙一带，还有钱塘士族杜子恭创立的一个五斗米道教团，信徒多达十万户，其中也有不少世家大族。杜子恭死后，其门徒孙泰继续传播道教。

东晋末年，孙泰因卷入统治集团的内争，被执政者司马元显诛杀。其侄孙恩逃入海岛（今浙江舟山群岛），聚合徒众，利用五斗米道发动大规模的叛乱。旬日之中，聚众达数十万。孙恩党徒号称“长生人”，他们诛杀异己，掳掠财货，烧毁仓廪邑室。其后,孙恩因兵败投海自杀。

由于早期五斗米道主要传播于民间,常被农民起义利用。这种情况不符合统治阶级的利益,容易招致官方的限制和镇压,不利于道教的发展。因此,孙恩叛乱失败后,南北朝时期一些出身上层士族的道教徒便出来改造五斗米道,欲图使道教变成能为统治阶级服务的官方宗教。寇谦之便是南北朝道教改革的重要代表人物。

寇谦之(365—448 年),字辅真,冯翊万年(今陕西临潼北)人。出身世家大族。少好仙道,修张鲁之术,服食饵药,在华山、嵩山修道,精专不懈。

北魏神瑞二年(415 年),寇自称在嵩山忽遇太上老君降临,授给他天师之位,并赐给他《云中音诵新科之诫》二十卷。这是寇谦之假托神意来改造三张旧五斗米道的教义,革除交纳租米钱税的制度和淫秽的男女合气方术,而代之以儒家礼教制度和神仙道教的服药内炼方术。这种新道法更符合统治阶级的利益。

北魏泰常八年(423 年),寇谦之又假托老君玄孙李谱文降临,授给他《录图真经》六十卷,让他“辅佐北方泰平真君”。次年,寇谦之从嵩山前往北魏首都平城(今山西大同),献上《录图真经》,又通过司徒崔浩的推荐,得到北魏太武帝赏识。太武帝亲自去天师道坛接受道教符箓,成为道教正式信徒。此后北魏历代君主即位后,都要去道坛受符箓,成为惯例。寇谦之被太武帝尊为国师,每有军国大事,常向他询问“天意”。

他所创的新天师道，在北魏兴盛了一百多年。直至公元548年，才被北齐文襄王罢废。从寇开始，道教获得了最高统治者的正式承认，成为官方宗教。

5.茅山上清派的形成

茅山在今江苏南部，古称句曲山。相传西汉时咸阳人茅盈、茅固、茅衷三兄弟渡江来此修道成仙，乘白鹤飞去。当地百姓因立庙供奉茅君，改山名为茅山。汉末左慈来到江东，曾入山寻仙，据说遇三茅真君授以神芝，从此茅山遂成为江东道教的名山胜地。

东晋时，茅山附近的丹阳、晋陵等郡县，居住着一些著名的地方士族，这些家族彼此世代通婚，并且都信奉道教。其中许迈家族的道法，主要传自天师道女祭酒魏夫人。

魏夫人弟子杨羲，本为吴郡人，后来到句容。他与许谧（许迈之弟）、许翙父子交好，被许氏推荐为琅琊王司徒公府舍人。他们三人都信奉道教，因此便合伙造作道教经典。东晋兴宁二年（365年），杨羲托称魏夫人及众仙真下降，传授《上清真经》，告知修道秘诀。由杨羲先用隶书写出，然后传给二许父子另行抄写。到了东晋末年，杨羲、二许均已先后去世。许翙之子许黄民为躲避战乱，携带经文至浙江剡县。从此，《上清经》开始在社会上广为传播，江东许多道士都曾参与传抄经典。在抄写中又多有伪造增益，使经书增至一百多卷。这些经书后来由南朝道士陆修静、陶弘景等人搜集整理，现在大多还保存在《道藏》中。

《上清经》的问世与传播，在道教中形成一个新的派别，即上清派。该派信奉元始天王（后改称元始天尊）、太上大道君等神灵，以魏夫人或杨羲为开派祖师，主要传习《上清大洞真经》、《黄庭经》等经典。在修行方术上特别重视诵经、思神、服气、咽液等，也兼习金丹、符咒等方术，但反对天师道的房中术。

上清派虽由杨、许首创，但教派的奠基光大者，却是南朝齐梁时著名道士陶弘景。陶弘景（456—536 年），字通明，丹阳秣陵（今南京）人。出身江南士族家庭，居住茅山修道四十余年，自号为“华阳隐居”。由于他学识渊博，著述甚多，齐梁两朝公卿士大夫皆尊敬他，纷纷从之学道。梁武帝萧衍早年曾与陶有过交游，后来萧衍禅代南齐称帝，陶又帮助萧衍选定“梁”字为国号。因此，梁武帝即位后对陶恩礼优待，书问不绝。多次派人赠送黄金、朱砂等物，供陶炼丹使用，又在茅山为之建立道馆和太清玄坛。

陶弘景是南朝道教著名学者，上清派宗师。他整理弘扬上清经法，编写了《真诰》、《登真隐诀》、《养性延命录》等著作。这些著作详细记述了东晋以来《上清经》出世和传播的经过，上清派的各种修炼养生方术秘诀，是有关上清派历史和思想教义的重要文献。他又撰写《真灵位业图》一书，将道教信奉的众多神灵排定座次，编成图谱，使道教的信仰体系更加完备。陶弘景在茅山数十年中，率领弟子修造道馆，开辟山林，招聚徒众,据称其弟子多达三千余人。由于他的苦心经营,使茅山成为道教上清派的中心。自陶弘景之后,上清派广泛传播于江南,后来又传至北方各地,但始终以茅山为其中心,所以上清派亦称为茅山宗。隋唐时期,上清派为道教第一大宗派。

6.《灵宝经》与灵宝派

东晋南朝时期,在江南新兴的道派除了茅山上清派之外,还有奉持《灵宝经》的灵宝派。关于《灵宝经》的问世和传播,在道书中有许多神奇的记述。早在东汉人袁康所作的《越绝书》中,已记载一个故事,说大禹治水时,遇见神人传授《灵宝五符》,用于制伏蛟龙水豹作怪。后来,大禹将此书藏于洞庭包山(今太湖洞庭山)之洞穴。这个故事在葛洪的书中也有记载。从《抱朴子内篇》屡次引用《灵宝五符经》来看,大概这篇经文至迟在东晋之前已经问世。

到了东晋末年,葛洪的族孙葛巢甫根据有关神话引申附会,造出了更多标名"灵宝"的道教经书,并且编造了葛氏家族世代传授经书的谱系。据称《灵宝经》乃是上天神书,由元始天尊授太上大道君等天神,后经诸神相继传承。到三国时,太上道君于己卯年(199 年)派遣太极真人徐来勒等神真下降会稽上虞山,以《灵宝经》传授太极左仙公葛玄。葛玄又于东吴赤乌年间(238—244 年)在天台山传授弟子郑思远、吴主孙权,以及其兄葛奚等人。奚传子葛悌,悌传子葛洪,葛洪又在马迹山从其师郑思远盟受经文。后来，葛洪于东晋建元二年(344年)在罗浮山传授其侄葛望、葛世等人。至晋安帝隆安末(401年)，葛洪侄孙葛巢甫又传给道士任延庆、徐灵期等，从此“世世录传，支流分散，孳乳非一”。

这是一个很长的传经故事。编造故事的目的，是想说明《灵宝经》是一部渊源古老的神书，这部神书在魏晋时期由丹阳葛氏家族世代传授。但据近代学者考证，除《五符经》之外，大多数《灵宝经》实际上是由葛巢甫编造的，有些经文甚至晚至南朝才问世。《灵宝经》出世后，很快便广为流传，并且出现许多伪经。南朝刘宋著名道士陆修静搜集经书，编撰《灵宝经目》，辨别真伪，刊正谬误，并且增修传习经文的科仪轨范。于是灵宝之教，大行于世。陆修静整理的《灵宝经》大约有五十余卷，现多数存在《道藏》中。

《灵宝经》的道法因问世年代的早晚而有所不同。较早的经文有《灵宝五符经》、《灵宝赤书五篇真文》等书。《五符经》有三卷，其内容属于魏晋方士养生修仙之术，包括存思服气术，服食草木药方，佩服符箓以求消灾辟邪，尸解成仙之术等。《灵宝五篇真文》也讲符箓法术。该书中有五篇符字和咒语，据说是由上天五方之神(五老)掌握的“天书真文”。按一定方法书写吞符，或佩带胸前肘后，或施符祭神，念诵咒语，可以招致五方神真仙属，制伏魔鬼，禳除天灾，使修道者记名仙籍，得成神仙。

在《灵宝经》中还有一些出世较晚的经文，如《灵宝度人经》、《灵宝智慧上品大诫》、《灵宝真一劝诫法轮妙经》、《灵宝三元品戒经》、《太极左仙公请问经》等等。这些经文多受佛教经典和戒律的影响，宣讲三世轮回，善恶报应思想。劝人修功德，造福田，奉道守戒，检束身口心三业，洗心净行，以求来世富贵福寿，或升仙成真。这样，就使道教的教义发生较大变化，从追求肉体不死，即世成仙，变为积累功德，死后升仙或来世成仙；从注重个人修道养生，变为强调行善济世，救度他人。个人养生与济世度人相结合，这就是《灵宝度人经》中所说"仙道贵生，无量度人"的要旨。

《灵宝经》的问世，在道教中形成了一个新派别，即灵宝派。这一派奉元始天尊、太上大道君和太上老君为最高神。这三位尊神后来演变为道教各派公认的"三清"，即玉清元始天尊，上清灵宝天尊，太清道德天尊。灵宝派假托葛玄为开派祖师，实际是由葛巢甫创始，而其教义的弘扬光大者是南朝道士陆修静。在修持方术方面，灵宝派除讲思神诵经，符咒治病之外，特别重视斋戒科教，劝善度人。据说陆修静撰写斋法科仪书达百余卷，为道教斋醮仪式的完备作出了卓越贡献。

灵宝教义在江南地区颇为盛行。但隋唐时期灵宝派的传承不明。北宋以后，在江西清江县阁皂山出现了传授《灵宝经》的道派，他们与茅山上清派、龙虎山天师道并称江南道教"三山符箓"。

7.全真道的创立与兴盛

道教在唐代和北宋因最高统治者的支持而兴盛显贵，充当了统治者“神道设教”的工具。北宋灭亡后，中国北方长期处于异族政权统治之下，战乱频繁，民族矛盾空前尖锐。饱受离乱之苦的汉族地主知识分子及普通民众，都需要有新的宗教作为抚慰心灵创伤和安身立命的精神支柱。因此在金元时期，道教内部发生重大变革，先后出现了太一道、真大道、全真道等新兴道派。

全真道创始人王喆（1112—1170 年），字知明，号重阳子，陕西咸阳大魏村人。其家乃当地大族。早年入府学读书，修习儒业。金熙宗天眷初（1138 年）应试武举，得中甲科。但只做过小吏，因感怀才不遇，辞官归家。心情苦闷，佯装疯狂。时值金朝倡修文治，对民间太一教、大道教予以承认。王重阳经过内心痛苦的追求，乃皈依道教。正隆四年（1159 年），他自称在甘河镇酒肆中遇二位仙人，授以金丹真诀，遂弃家入终南山南时村修炼，在山中凿穴而居，号其居处为“活死人墓”。后来又结庐刘蒋村，修行传道。大定七年（1167 年），王放火焚烧茅庵，东出潼关，沿途乞化，前往山东。先后在宁海、文登、福山、登州、莱州等地建立了五个教会。随王重阳受教的弟子甚多，其中最著名的有七位：马钰，号丹阳子；谭处端，号长真子；刘处玄，号长生子；丘处机，号长春子；王处一，号玉阳子；郝大通，号广宁子；孙不二（马钰出家前之妻），号清静散人。

这七大弟子即所谓的“全真七子”，是全真道早期的重要骨干。

王重阳及其弟子们开创的全真道，是北宋以后最重要的道派之一。其教义教制较天师道、上清派等旧道教有不少创新。首先，全真道受晚唐北宋以来“三教合一”思潮影响，在教义及修持方面极力标榜“三教圆融”。其次，全真道在修持方面反对道教传统的外丹烧炼和符箓驱鬼之术，而师法晚唐北宋以来流行的内丹方术，主张性命双修，特别强调以“识心见性”为修仙正途。

全真道在宣扬修真成仙的同时，还要求其信徒必须有克己忍辱，清修自苦精神。全真道祖师王重阳及七大弟子，大体都能保持这种自甘勤苦，安贫守贱的全真精神，以“异迹惊人，畸行感人”。全真道早期的庵观也多尚简朴，道士力耕而食。其丛林庵观制度多仿禅宗丛林之制，对不守清规的弟子有严厉的处罚条例，从跪香、逐出师门，直至处死。这种禁欲苦行精神和严执戒规的教风，是对唐宋以来官方道教结交权贵，奢侈腐化之风的革新。

全真教自祖师王重阳死后，其弟子马钰、谭处端、刘处玄等相继嗣教，教门有所发展。至丘处机嗣教以后，因金元统治者的支持，使全真教迅速发展到全盛时期。

丘处机声望日隆，宋、金、元三方皆争相结纳。兴定三年(1219 年)冬，成吉思汗自西域乃蛮国派遣近臣刘仲禄、札八儿持诏召请。丘处机测度形势，慨然应命，乃于次年春率尹志平等十八弟子启程西行。历时三年多，旅途万余里，终于到达印度大雪山之阳(今阿富汗境内)。成吉思汗在行宫接见丘处机,设庐赐食,礼遇至隆,请问治国之方,长生久视之道。丘大略以"敬天爱民为本";"清心寡欲为要"作为回答。成吉思汗大悦,称之为"仙翁",命左右录其所言。次年二月,诏许东归,赐以礼物,诏令免除全真道赋税差役,发给丘处机金虎牌、玺书,命他掌管天下道教,又派甲士千人护送。1224年,丘还居燕京天长观(今北京市白云观)。在京住持期间,丘建立八个教会,开坛说戒,大收门徒。在都名儒官绅无不争相结纳,或以诗贺之,或争献钱币,葺修宫观。丘之门徒李志柔、刘志源、宋德方、綦志远等亦四出修建宫观,刊刻《道藏》。全真道于是达到极盛,"教门四辟,百倍往昔"。1227年,丘处机病逝于燕京,次年葬于白云观安顺堂,四方弟子来会者达万余人。在他身后,尹志平、李志常、张志敬等人继续掌教,教门仍然兴盛。元朝消灭南宋之后,全真道又乘势渡江南传,踪迹很快遍及江浙闽鄂。

全真道自王重阳七大弟子相继去世后,其门徒各立门户,繁衍出七个支派。即马钰门下的遇仙派、丘处机的龙门派、谭处端的南无派、刘处玄的随山派、王处一的嵛山派、郝大通的华山派、孙不二的清静派。七派之中以丘处机的龙门派势力最盛。

8.净明道的形成及特色

晚唐北宋以来,儒学复兴,吸收融摄佛道二教而形成新儒学。儒家学说更适合维护封建统治秩序的需要,因此在当政者大力提倡下,其社会地位日渐提高,迫使佛道二教向儒家靠拢,形成三教合流的社会思潮。宋元道教内丹、符箓诸道派,皆不同程度地吸收融会儒家思想,并且孕育产生了堪称儒道融合典型的道派——净明道。

净明道主要流传于江西南昌地区,托称其道法出自东晋道士许逊。许逊的信仰由来已久,隋唐时期在南昌西山游帷观盛行的孝道派,即奉许逊为祖师。游帷观后改称玉隆观。宋徽宗政和二年(1112 年),敕封许逊为“神功妙济真君”,并扩建西山玉隆观,建成包括六殿六阁,七楼七门,共计有三大院落的宏伟建筑群。宋徽宗亲赐匾额“玉隆万寿宫”。宋元净明道派即以此处为传播中心。

南宋初,在金兵压境,家国不宁的气氛中,有周真公、何真公等人在西山祈祷许逊。据说许真君等六位真人于宋室南渡之年(1127 年)降神于渝水,“出示灵宝净明秘法,化民以忠孝廉慎之教”。后二年,许真君又降临游帷故地(即西山玉隆万寿宫),降授飞仙度人经,净明忠孝大法。于是,周真公等人在玉隆万寿宫建立翼真坛,传度弟子五百余人,形成一个新道派。周真公净明道主要传行一种新符箓“净明秘法”,假托其法出自“太阳真君孝道明王”。净明秘法与神霄、清微等新符箓派的道法相似,也重视内丹与心性修炼,调养心性,使之纤尘不染,无幽不烛,是谓净明。以清静无染的真心本性作为施符念咒、存神感灵之根本,又特重忠孝廉慎等伦理教化。因此,净明法大抵"以孝悌为之准式,修炼为之方术",有儒道结合的特点。

周真公一派传行不久,便不再见于记载。到了元初,在南昌西山又出了一位隐居儒士刘玉(1257—1308 年)。此人幼读诗书,年仅弱冠而父母双亡,因家贫力耕而食,视尘世不足为,乃热衷于神仙之学。他自称于至元十九年(1282 年)遇见净明法师胡慧超,预告净明大教将兴,五陵之内当出八百弟子,以刘玉为师。元贞二年(1296 年)他又自称许真君亲降其家,授以中黄大道、八极真诠和《灵宝坛记》。于是刘玉乃"开阐大教,诱诲后学",以神授旨义教化乡人,并为人祈祷禳解,一时从学者颇多,遂形成新的净明道派。

刘玉开创的新净明道,以许逊为第一代祖师,自己为第二代,不承认与南宋周真公净明道有传承关系。但从其学说渊源看,实为周真公旧净明道的发展。刘玉临终前以教事传付弟子黄元吉。继黄元吉掌教的是第三代净明宗师徐慧。徐慧之后,净明道传承法嗣不明。相传元末明初道士赵宜真为净明第四代嗣师,但赵宜真主要传承清微、全真派道法,与徐慧并无师承关系。大概西山净明派后来归入全真道,但当地朝拜许真君习俗,仍一直保持。

净明道教义以融摄儒道为特色,自称其教名为"净明忠孝道"。所谓净明,是指先天无极大道及自我清静本心。净明家认为大道清虚无为,人心本来清净光明,与道相通。但因世人生来多渐染熏习,纵忿恣欲,背却本性,使心地不净不明,以致曲昧道理,便不得为人之道。对治世人心病,恢复本性净明的办法,唯有惩忿窒欲,正心诚意。收摄心念,使之不为物欲所动。所谓惩忿者,不仅要息灭心中嗔怒仇恨,而且要惩治嫉妒偏狭、猜疑察察之心,对细小的忿嫉也不放过。所谓窒欲者,不仅要断绝淫邪色欲,而且对涉及溺爱眷恋、滞著事物之间的一切欲望,皆须窒塞。唯有惩治一切物欲贪念,使内心纤尘不染,改过迁善,明理复性,方可德配天地,无愧人道。“不用修炼,自然道成”。

净明道提倡忠孝,以“忠孝廉慎宽裕容忍”八字作为许真君降授的“垂世八宝”。尤其对忠孝神化到无以复加的程度,宣称“忠孝大道之本也”;“孝至于天,日月为之明;孝至于地,万物为之生;孝至于民,人道为之成。”又说忠孝为人性中固有的良知良能,“人人具此天理,非分外事也”。

净明道虽极力附合儒学,但毕竟属于符箓道派,因此较儒家多了些驱邪禳灾的本领,不过其符箓道法也强调先正其内,后治其外,要行法者着眼于惩忿窒欲的内功,以净明之心为画符念咒之本,而对法术仪式则尽量简化。

9.明清正一道的衰落

明清两朝,正一道的地位居道教各派之首。明朝开国后,明太祖封正一道第 42 代天师张正常为正一嗣教真人,赐银印,秩视二品。洪武五年,又敕令张氏永掌天下道教事。张正常以擅长符水治病闻名,死于洪武十年(1377 年)。其子张宇初嗣位,袭封正一嗣教大真人,领道教事。此后明朝历代天师皆沿例袭封大真人,掌管天下道教。

张宇初博学能文,撰有《道门十规》。该书吸收全真道性命双修及严守清规戒律之宗旨,提出道士应遵守的十条戒规,推广于道教各派,意图整顿道教。他还撰有诗文集《岘泉集》,对道教思想宗旨及修持方法多所发挥,堪称宋元以来最有学识的正一天师。永乐四年(1406 年),张宇初奉旨编修道书,其弟张宇清继任其事,至英宗正统十年(1445 年)编成《正统道藏》。后来明神宗又命第 50 代天师张国祥主持编修《万历续道藏》。这部明代《道藏》共收入各类道书 1470 余种,5485 卷,是迄今唯一保存完好的道教经书全集。

明代正一道受朝廷尊宠,其上层道士因贵盛而腐化。例如,43 代天师张宇初虽有才华,但在建文帝时"坐不法夺印诰"。第 46 代天师张元吉横行乡里,夺良家子女,逼取人财物。家置狱,前后杀四十余人,有司奏其罪状,免死发配肃州军。正一天师的不法劣迹,招致儒臣抨击。

清朝贵族兴起于关外,入关后重视利用儒学治国,对道教虽仍予以保护,但远不及明朝那样尊崇。清初顺治、康熙、雍正三朝,为笼络汉人,对道教还略有重视和利用,依明朝旧例封赠正一真人。顺治八年(1651 年),第 52 代天师张应京入朝觐见,敕授正一嗣教大真人,掌天下道教事,给一品印。顺治十二年,第 53 代天师张洪任入觐,袭封大真人,并敕免本户及龙虎山上清宫各色徭役。第 54 代天师张继宗、第 55 代天师张锡麟都依朝旧例袭封大真人。

自乾隆时代起,因统治者推崇儒家理学,佛道二教地位大为贬降。乾隆五年(1740年),敕礼部定议,正一真人今后不许加入朝臣班行。乾隆十一年,正一真人降为正五品秩。乾隆三十一年,第57代天师张存义入觐,因祈雨有功,复晋正三品,授通议大夫,其品秩仍低于前朝。此后历代天师,皆沿乾隆朝例,授以通议大夫。清代正一天师多庸碌无学,且多劣迹。据《清朝野史大观》说:清朝末年,“张氏子孙乃犹有僭用极品仪制,舆从舄奕,声气招摇,游历江浙闽粤诸省,沿途以符箓博金钱,并勒索地方有司供张馈赠。”可见其腐化奢侈之状。正一道由贵盛而趋于衰落。

10.明清全真道的兴衰

明代全真道政治地位下降,教团发展亦受限制,其势力远不及元代。在全真道各派中,丘处机开创的龙门派势力较大,但该派在明代也相当沉寂。龙门律宗的传人陈通微、周玄朴、张静定、赵真嵩几代宗师,皆隐居修炼,不显于时。明世宗时,有龙门派四代弟子孙玄清(1517—1569年),得崂山李显陀、铁查山通源子及斗篷张真人之传,颇有道术。嘉靖三十七年至京师白云观坐钵修炼,祈雨有验,诏赐“紫阳真人”号。孙玄清门下形成“金山派”,亦称崂山派,属龙门支派。除龙门派外,明代其他全真支派更为零落。

清朝初年,由于清兵入关建立大清帝国,民族矛盾又趋尖锐，剃发易服之辱，折磨着汉族士人的心灵。全真龙门派宗师王常月应运而出，传戒弘教，使明代沉寂已久的全真道出现了中兴景象。

王常月(1522—1680年)，号昆阳子，山西潞安人。少年出家云游，参访明师，得龙门派第六代律师赵真嵩之传，成为第七代龙门律师。满清入关之初，王从隐居的嵩山北上京师，挂单于白云观，被道众推举为方丈。他顺应时势，以公开传戒度人，整顿教规作为振兴宗门的主要手段。他的传戒活动得到清廷许可。顺治十三年(1656年)，王奉旨主讲于白云观，登坛说戒，度弟子千余人，南北道流纷纷来京受戒。康熙二年(1669年)，王常月率弟子詹守椿、邵守善等南下，在南京、杭州、湖州、武当山等地立坛说戒，南人皈依受戒者甚多，龙门教团于是大盛。王氏在江南所收弟子，多为儒士出身的明朝遗民，其中不乏抗清失败后隐藏民间的忠义之士。王常月卒于康熙十九年(1680年)，其著作有《碧苑坛经》二卷，又名《龙门心法》，是弟子整理他在南京碧苑登坛说戒的语录而成。

王常月的《龙门心法》，以精严戒行为本，强调持守戒律，遵守教规。而龙门派强调持戒修心的实质，是以封建伦理纲常约束教徒身心，以达到扶助王法世教的目的。

王常月还针对元明以来全真道重炼气修命，轻视明心见性的弊病，重新强调修行以明心见性为先。他尤其反对追求肉体长生，认为色身是假，而心性为真。这正是全真祖师王重阳、丘处机的基本思想。

王常月的教法恢复了全真道初期的教风，在清初影响较大，龙门派因此显出振兴气象。王氏弟子在东南江浙诸省开坛传戒，形成不少龙门支派。例如，黄虚堂开创苏州浒墅关太微律院支派；金筑老人盛青涯开创余杭金筑坪天柱观支派；吕云隐开坛于苏州冠山，其弟子有吕全阳、鲍三阳等，门庭颇盛；陶靖庵开创湖州金盖山纯阳宫云巢支派，门下有陶石庵、徐紫垣、徐隆严等相继嗣传。除王常月门下诸派外，龙门律宗还有沈常敬（1523—1653年）开创的派系。沈与王同为龙门七代宗师，隐居江苏茅山，门下有孙守一、黄守圆等高徒。孙守一弟子周太郎开杭州栖霞金鼓洞支派，四方从学者达千余人。孙氏另一门人范太清住持天台山崇道观，为东南龙门派一大道场。周太郎再传弟子沈一炳、闵一得，均为清代道教内丹著名学者。闵一得住持金盖山纯阳宫，撰《金盖心灯》八卷，记述东南龙门派历史。又编辑《古书隐楼藏书》，收明清道书28种，多为内丹著作。

除东南地区外，清初至乾嘉年间，全国各地都出现了龙门派的踪迹。在东北有辽阳道士郭守贞，明末赴马鞍山师从龙门七代道士李常明，返辽后隐居本溪铁刹山八宝云光洞修道三十余年。康熙初住持盛京（沈阳）太清宫传戒，受戒者先后达数百人。在西北有龙门派第十一代道士刘一明，隐居甘肃金县栖云山修炼多年，往来于兰州，陇上士庶多与之交往。刘精通内丹易学，著作有《道书十二种》，流传颇广。江西有龙门派八代道士徐守诚，隐居南昌西山修炼，门下有谭太智、张太玄、熊太岸等。在广东有龙门派第十一代道士曾一贯,康熙年间入罗浮山任冲虚古观主持,其徒柯阳桂门下有弟子百余人。在四川有龙门第十代道士陈清觉,康熙初从武当山来到青城山,后住持成都二仙庵,开创龙门碧台丹洞宗。在云南鸡足山,还有被称作“龙门西竺心宗”的道派。该派创始人鸡足道者,本为月支国人,自称元末从印度来滇,精通西竺斗法,常诵佛教密咒。顺治十六年(1659 年),鸡足道者赴北京皈依王常月门下,受龙门戒法,改名黄守中,成为龙门派八代弟子。后还归鸡足山,创“龙门西竺心宗”。该派门徒多为行迹诡异,身怀绝技的江湖奇人。

清初龙门派复兴后,及至清末民初,全真道势力仍相当强大,宫观庵院遍布全国,田产收入亦相当雄厚。但其精神实质却逐渐退化,实践真功真行的道士减少,靠香火营生者增多。全真道逐渐失去了吸引民众的魅力。

11.明清道教对民间信仰的影响

明清时期,道教的宗教观念及修持方术渗入民间,与民间传统信仰混融为一,对广大民众的思想观念及经济、文化生活发生广泛的影响。这些影响主要表现在以下几方面:

首先,道教的多神崇拜在民众中影响最为深远。明清时代,道教崇奉的关帝、玄帝、三官、文昌帝君、东岳大帝、吕祖、天妃(妈祖)、城隍神、王灵官等神灵最受民众崇祀。由官府或皇帝御敕修建的神庙道观遍布都府州县,香火旺盛。民间私建的龙王、药王、雷公、火神、山神、财神、土地爷爷、送子娘娘等大大小小的神庙,更是星罗棋布,遍及全国乡村城镇,其数量之多,难以计算。在善男信女们看来,诸神各有职司,能解决不同的问题。祈雨拜龙王,消灾奉关帝,治病祷药王,送葬请道士,想发财敬财神,求子嗣供娘娘,读书人拜文昌求功名如意,出海人拜妈祖保佑平安,正月十五奉天官赐福,腊月底祭灶王免过,城隍庙看抬神,东岳庙逛庙会。四时八节、五行八作,各有所奉神灵及仪式活动。于是道教的信仰便超出宗教的范围,而与普通民众的生产活动和文化娱乐水乳交融,成为人们生活风俗的重要内容。

道教扶乩求仙的方术早在南宋已影响民间,到了明清时代,扶乩之风更加泛滥。从宫廷贵族到市井小民,巫师道士以至文人士夫,多有热衷其事者。读书人凭扶乩猜测试题,老百姓祈求乩仙降赐仙方治病,道士则假借扶乩降笔造作经书。明清时代许多新出道书都假托乩坛神授,一般多托吕祖、关帝、文昌降笔。其中有些道书讲述内丹功法秘诀,而更多则是通俗的劝善书、功过格。当时广为流行的劝善书,除南宋所出《太上感应篇》之外,明清陆续出现的则有《关圣帝君觉世真经》、《文昌帝君阴骘文》、《吕祖功过格》、《文帝孝经》、《玉定金科》等。这些善书的内容,大多假托神道设教,以封建伦理教化为宗旨,劝诱人们行善去恶。书中极力宣扬善恶报应思想,鼓吹天地间时时处处有鬼神监督司察世人行为,奖善罚恶。劝善书中还将善恶报应分类定量,列成表格,供人们对照检查自身行为。而所列善恶,主要是以忠孝仁信、礼义廉耻等儒家伦理信条为标准,也有部分符合下层民众要求的道德观念,如劝人勿倚权势而辱善良、勿恃富豪而欺穷困,斗称须要公平,不可轻出重入,等等。由于劝善书文字通俗晓畅,容易被下层人民接受,在推行封建教化方面比艰深玄奥的佛道经典更能发挥效用,因此王公大臣、文人儒士都积极支持推广。各种劝善书充斥书肆,将神化的封建伦理深深印入广大民众的心灵。

道教的宗教观念、神仙传说、内丹修炼还渗入明清时期大量的通俗文学作品中。明清流行的小说、戏曲、鼓词等俗文学中,很少不涉及神佛僧道的内容。《水浒传》开篇即假借洪太尉赴龙虎山祈请张天师,放走妖魔,引出一百单八将故事。《三国演义》第一回讲张角黄巾起义,引出刘关张桃园结义,书中对诸葛亮借东风、禳星斗的描述近似道教术士。《金瓶梅》全书有十多回涉及道教,书中描写道士仙姑为豪门妇女治病安胎,禳灾废亡,对道场科仪的描述极为详尽,反映了明末社会生活的真实。《红楼梦》书中的《好了歌》及金陵十二钗词曲,其思想格调极近于全真道士的宣教词曲。专以道教故事为题材的作品,如《东游记》、《七真天仙宝传》、《绿野仙踪》等书,以宣扬修炼内丹成仙为主题。《封神演义》则讲元始天尊及道教诸神与通天教主的左道旁门斗法取胜故事。道教的宗教观念通过这些世俗文学的宣传,更深入渗透于社会文化生活中。

总之,明清道教从教团的社会地位及教义发展来看,步入了衰落时期,但从道教文化的下移和扩散来看,却进而拓宽了社会基础,更深地渗透到社会生活的各个领域。

12.近现代大陆道教概况

经过清末以来中国社会的变革和西方文化东渐的影响,道教在近现代进入了相对衰落的时期。但在民间仍有很大的影响。据康熙六年的统计,清初全国道士有 21286 人,约占僧尼总数的五分之一。自乾隆年间废除僧道度牒制以后,道士数量增长很快。而且随着清朝疆域开拓,汉族向边疆地区迁移,一些原来很少有道教的地区,如东北、新疆、内蒙古、台湾等地,也陆续建起道教宫观,有道士住持。到了近代,据 1926 年北京白云观道士编写的《诸真宗派总薄》记载,截止于辛亥革命前的清末宣统年间(1909—1911 年),有传承谱系的道教分派共有 86 个。其中有正一、上清、灵宝、清微、净明等符箓道派,也有混元、吕祖、重阳、龙门、三丰等全真系道派。另据 1957 年中国道教协会的老道长回忆,民国时期(1949 年前)著名的道教宫观丛林和子孙庙,大约有 1 万多座;常住宫观的全真、正一两派职业道士约 5 万人;普通的道院道坛和散居道士为数更多,无法统计。这些宫观道院都有数量不等的宗教活动收入,如香火费、信徒功德捐献、道士为民众做醮仪的收入等。较大的宫观丛林还有许多土地和房产,收取地租和房租。也有不少宫观道院土地较少,道士自耕自食,与普通农户无异。

中华人民共和国成立后,道教成为政府正式承认的五大宗教之一,享有宪法保障的宗教信仰自由。1957 年 4 月,在北京召开的第一届中国道教代表会议,成立了中国道教协会,选举岳崇岱为会长,陈撄宁为秘书长,会址设在北京白云观。1961 年在北京召开的第二届全国道教代表会议,陈撄宁当选为中国道教协会会长。会后成立了中国道协研究室,负责搜集整理和研究道教史料,出版《道协会刊》,开办中国大陆各宫观道教徒进修班。“文革”浩劫期间,道教受到严重冲击,正常的宗教活动停止,宫观道院被占用,道士还俗回家。1978 年中共十一届三中全会后,拨乱反正,落实宗教信仰自由政策,中国道教协会恢复活动。在政府关心和道教界努力下,全国各地道教重要名山宫观得到修复,发还庙产,宗教活动恢复正常。1980 年召开的第三届中国道教代表会议,选举黎遇航为中国道协会长。在后来召开的历次全国道教代表会议上,傅元天、闵智亭、任法融相继当选为会长。2015 年 6 月,中国道教协会第九次全国代表会议选举李光富为新任会长。此外,全国各省市县级道教协会也纷纷成立,并开展活动。据估计,目前全国各地重要道教宫观约有 9000 处,住观道士约 4.8 万人。散居在家道士和信徒更多,数字难以统计。道观的经济收入主要来自香火费、海内外信徒捐助、旅游收入等。

自国家实施改革开放政策以来,中国道教协会及各地方道协组织,继承和发扬道教优良传统,代表全国道教界合法权益,维护宫观名山,供养年老信徒,积极捐助受灾民众和希望教育工程。并且在协助政府贯彻落实宗教政策,联络海内外爱国道教人士,促进祖国统一,维护世界和平等方面,做了大量工作。道教协会还特别重视文化研究和人才培养工作。《道协会刊》在1987年改名《中国道教》后,至2015年8月已发行148期,登载全国道教活动信息,研究道教历史、科仪和修持方术的文章。各地道协也在陆续出版自己的刊物。道协研究室出版了许多有关道教文化的研究著作,并与学术界合作,从1996年开始整理编修《中华道藏》的工程,并于2004年出版发行,是近五百年来中国首次对道教经书进行系统规范的整理重修。自2015年开始,中国道教协会组织专家编纂《续中华道藏》典籍。

13.近现代港台道教概况

香港自1840年以来,经中国同胞的辛勤开发,已成为经济、文化高度开放发达的大都市。这里被称作“世界各宗教的缩影”,各种宗教势力都涉足港岛,建立教会组织。但是占香港人口多数的华人,在思想文化和生活风俗方面,仍然深受孔教、佛教和道教等中国传统宗教的影响。

据香港学者研究,早在南宋末年,在香港新界已有供奉妈祖的北堂天后庙。明清时期,一些道教宫观散落在香港各地,如屯门青云观、大屿山普云仙院、长洲北帝庙、湾仔北帝庙等。这些庙宇至今仍保留下来,碑刻钟鼎记录着岁月沧桑。1911

年辛亥革命后,许多满清遗民流落到香港,其中有些人原是广东罗浮山道教正一派的信徒。他们头挽道髻,身穿道袍,诵习道经,建造宫观道院,使道教在香港的影响大增。最初,正一道支派先天道的势力最强,相继于1913年建芝兰堂,1916年创九龙道德会龙庆堂,1924年兴建福庆堂,1926年建立紫霞院。进入20世纪30年代后,全真道龙门派逐渐崛起。1930年建造蓬瀛仙馆,1932年开创玉壶仙洞,1949年创青松观,1952年创万德至善社等。60年代后,全真道另一支纯阳派兴起,先后于1964年造六合玄宫,1978年创纯阳仙洞,1980年开创庆云古洞等。除上述三大派系外,香港还有许多小道派。全港道观或道堂现有120多座,道士、居士约1万多人,信徒约50万。较大的道观有圆玄学院、青松观、蓬瀛仙馆、云泉仙馆、黄大仙祠等。

香港道教比大陆更具世俗化和开放的特点。各宫观道院都主张儒佛道三教合一,奉三圣(释迦、老子、孔子)为神明。三教的经文、造像在道院广为传布,观世音信仰也很普遍。有些道派除奉三圣和观音外,还尊奉吕洞宾、黄大仙、妈祖、关帝等神灵;三清、列仙等众神亦受礼拜。这种兼收并蓄的开放性格,使香港道教易于在民众中传播。香港道教还有重视兴办教育、医疗和慈善福利事业的特点。例如,20世纪50年代以来圆玄学院、青松观等道观兴建的幼儿园、小学、中学、道教学院,就有十多所。道教界兴办的医药慈善机构则有圆玄西药诊所、云泉中医部、先天安老院、蓬瀛老人中心、青松骨灰墓堂等。此外,道教界参与的赈灾救难捐献活动也很频繁。

香港最大的道教界组织是香港道教联合会。1965 年正式成立,1978 年开始出版机关刊物《道心》。香港道教界素与台湾道教界有广泛联系。80 年代以来,与大陆道教界的互访也日益频繁。

台湾是祖国宝岛,自古与大陆有密切联系,两岸思想文化一脉相通。明清时期,随着东南沿海地区汉族人口大批迁台,原在大陆受民众膜拜的妈祖、关帝、三奶夫人等俗神信仰也传入台湾,香火更加兴旺。如果以有道士来台作为道教传入的标志,那么最早入台传教的,应为明万历十五年(1590 年)福建漳州的闾山三奶派道士。该道派以崇奉临水夫人(俗称三奶夫人)为其特色,属于符箓道派。清乾隆五年(1740 年)及道光三年(1823 年),正一道所属的茅山派、清微派也先后传入台湾。另外以崇奉玄天上帝为特征的武当道派,大约在明末清初随郑成功收复台湾而传入宝岛,其宫观庙宇遍布全台。至于妈祖崇拜,在台湾更为普遍,几乎无人不顶礼膜拜。

1905 年以后日本占据台湾时期,为强化其殖民统治,对中国人民传统的道教和民间信仰予以限制。1945 年台湾光复之后,特别是 1949 年国民党当局迁台之后,随着台湾经济文化的发展,道教也日益兴盛。1949 年,龙虎山第六十三代天师张恩溥到达台湾,次年创立台湾省道教协会,并开设"嗣汉天师府驻台办公处",传授正一箓牒。1967 年,张恩溥、姜伯彰等人发起成立"中华民国道教会",总会设在台北,下辖台湾省、台北市、高雄市三个分会,以及台中、嘉义、台南等21个支会。张恩溥任首届秘书长。1969年,张恩溥去世,其侄张源先摄理第六十四代天师。至九十年代初,在台湾“内政部”已登记的十三种合法宗教,近两万多所寺庙中,道教宫观庙堂多达七千余所,道士两万多人,信徒二百多万。难于统计归类的民间信仰者尚未计算在内。

台湾的道士由于派系不同,有所谓“乌头”与“红头”之分。乌头包括茅山派、清微派、武当派、正一天师派、净明派等。他们继承传统祭炼法诀,其经典在《道藏》中有所根据。红头主要是宋元以后新兴的神霄、庐山(白玉蟾系)、三奶等道派。据说他们没有正规的仪式,故被乌头法师视为非正统的道士。其实乌头、红头均属正一道系统的符箓道派,只是作法事的对象和范围有所区别。

台湾道士大多家居火宅,戒律比较松弛。各道派及宫庙联络不多,没有严格的统属关系。道士的功能主要是建醮设斋,以符箓法术为信徒祈福禳灾,驱魔度亡。钻研经义,修炼内功的风气不浓。戒行严格的全真派道士在台湾几乎没有。台湾著名的道教宫观有台北指南宫、北港朝天宫、新港奉天宫、台南大天后宫、天坛首庙、高雄道德院、三凤宫等。由于经济实力雄厚,宫观修建规模宏大,其建筑风格则接近福建的庙宇。

台湾道教世俗化的特点显著。道教宫庙中所奉神灵,除传统的吕祖、妈祖外,大多供奉民间俗神,观音、关帝崇拜极为普遍。佛道经书、画像随处可见。因此,有人认为台湾道教混杂,其实这是在多元文化的现代社会中,宗教发展的必然趋势。台湾道教界也善于兴办幼稚园、学校、医院、出版社等社会机构。道教界出版的年刊、月刊有20多种。设在台北指南宫的“中国道教学院”,则为近年兴办的规模较大的宗教院校。

14.当代中国道教基本情况

中华人民共和国成立后,道教成为政府正式承认的五大宗教之一,享有宪法保障的宗教信仰自由。1957年成立了中国道教协会,1961年成立了中国道协研究室,负责搜集整理和研究道教史料,出版《道协会刊》,开办中国大陆各宫观道教徒进修班,“文革”以前,全国著名道教宫观约有637座,常住职业道士5千人,散居道教数万人。“文革”浩劫期间,道教受到严重冲击,正常的宗教活动停止,宫观道院被占用,道士还俗回家。1978年中共十一届三中全会后,拨乱反正,落实宗教信仰自由政策,中国道教协会恢复活动。在政府关心和道教界努力下,全国各地道教重要名山宫观得到恢复和修缮,宗教活动恢复正常。据估计,目前全国各地重要道教宫观有9000多座,住观道士约4.8万人。散居在家道士和信徒更多,数字难以统计。

全国各地道教名山宫观甚多,其中最著名的是1982年由国务院确立的21处全国重点宫观,它们是:泰山碧霞祠、崂山太清宫、茅山道院、杭州抱朴道院、龙虎山天师府、武当山紫霄宫、武当太岳太和宫、武昌长春观、罗浮山冲虚古观、青城山常道观、青城山祖师殿、成都青羊宫、终南山楼观台、西安八仙宫、华山玉泉道院、华山九天宫、华山镇岳宫、千山无量观、沈阳太清宫、嵩山中岳庙、北京白云观。这些宫观既是道教徒炼养修真之处,也是著名的风景古迹游览胜地。此外,全国各地陆续恢复开放的著名宫观还有很多,例如陕西户县重阳万寿宫、华山云台观、华山西岳庙、浙江余杭洞霄宫、天台桐柏宫、福建武夷山桃源洞、湄州妈祖庙、泉州关帝庙、莆田玄妙观、兰州金天观、重庆老君洞、南昌西山万寿宫、广州三元宫、天津天后宫、上海白云观等等。

自 1957 年成立中国道教协会组织以来,道教界陆续发起筹备成立的地方性质的道教协会组织至今约有 560 多处,其中有省道教协会 27 个、市道教协会 151 个,更多的是基层县一级的道教协会 384 个。中国道教协会非常重视道教文化研究和道教人才的培养,早在 1962 年就创办了“道教徒进修班”,到 1990 年,又举办了五期道教知识专修班和一期道教徒进修班。在此基础上,1990 年 5 月在北京白云观创立了中国道教学院,这是一所全国性的道教学院,也是道教的最高学府。其教学目的是“培养爱国爱教的、具有较高道教知识和修养并有志为道教事业服务的青年道教徒,继承和发扬道教优良传统,弘扬道教文化”。学院设进修班和专修班,学制两年。专修班学员经地方道协组织推荐,考试合格,择优录取。讲授宗教、政策、文化等课程。2003 年,中国道学院正式设立宫观管理专业大专班和道教研究生班。大专班学制二年，研究生班在大专班的基础上再学三年。除北京外，上海、四川、陕西等寺方道协也开办了各种形式的道教进修班、培训班，培养了大批宫观管理和宗教活动的人才。由道教界主办的道教文化学术讨论会也在西安、武当山、龙虎山、庐山、罗浮山等名山宫观多次召开。总之，在宗教信仰自由政策的保障下，古老的道教顺应时势，正在中国大陆复兴。

科 仪 与 方 术

1.道教科仪

“科仪”是道教习用的术语,在历史上,可以用来笼统地指称道教的经诰、戒律、规范、礼仪等。道教之成其为道教,不但有其系统的教理教义和信仰,而且有其特定的宗教形式,所谓“科仪”,即是对其宗教形式各个方面的概括。与科仪意义相同或相近的,还有科教、科范、科戒、科律、仪轨等。比较而言,科仪更能概括相应的教法内容。

科与仪连用,虽然也出现得很早,但二者在涵义和用法上又有区别。

所谓仪,即规范化的礼仪、仪式,只是道教自成一套礼仪规范、仪式准则,内容与常俗仪范有所不同。在斋醮类道书中,常有“法事如仪”等说法,指斋坛布置及登坛、上表等规范化的仪式。在修持类道书中,则常有“存想如仪”的说法,总谓想象神人、真人的形象风姿。仪的类型主要有两种,一种是传度仪或称授度仪,包括传经、授箓、传戒和度人出家等方面的法式规范。另一种是坛仪，如坛场布局、登坛位次、法具安置、作法仪轨等，这类仪式主要用于斋醮。另有投金龙玉简仪，在性质上与斋醮之坛仪相近。

所谓科，则是教的别名，用来指称道教的各种教法。如早期道书《九真明科》、《四极明科》等，都是涉及道教的经诰、信仰、戒律、规范等诸多方面的教典。

"科仪"连称，在现存道书中，最早见于《洞玄灵宝道学科仪》。此书大约是南朝灵宝派的作品，内容包括言语、讲习、禁酒、忌荤腥、制法服、巾冠、山居、斋、醮、燃灯、奏章等，各立品目。唐道士朱法满作《要修科仪戒律钞》，内容也包括传度仪范、奉道仪轨、各种斋法、戒律、殿堂造设等许多方面。

"科仪"可用来概括道教教法的许多方面，它在道教中的语义，类似于世俗社会之所谓礼法，涵盖的内容十分宽泛。道教科仪既是一种宗教形式，又应当具有相应的旨归内容。早期的五斗米道和太平道，都提倡"以善道化民"，善道即其科仪教戒之旨归。在后来的发展中，更形成了一套围绕着神仙信仰而高扬生命价值、围绕着返朴归真的信念而追求至真纯善的宗教道德，这些宗教道德，就是科仪形式转变中所蕴涵的旨归内容之发展。同时，道教科仪还经常强调要"佐时宣化"，意思就是将礼仪传统与时俗现实结合起来，从宗教的途径厚人伦、敦风俗。

同时，道教科仪涵盖的教法很宽泛，又因为吸收了大量的民俗，在内容上很芜杂。根据《道藏》旧有分类题目，我们将科仪分为四类,即戒律、威仪、赞颂、表奏四部。此四部义旨如下:戒律,玄圣所述罪福科目;威仪,玄圣所述法宪仪序、斋谢品格,凡六条(按:即金箓斋、明真斋等六种斋法);赞颂,赞诵众圣之辞;表奏,玄圣所述传授经文、登坛告盟之仪。

科仪四类中,威仪类的经书最多,内容也最复杂。在晋南北朝时期,威仪的主要内容是各种斋法,醮仪附于斋仪而行,规模小,仪式也很简单;唐宋以后,醮的内容日益增多,斋醮联称而没有很严格的分别。

2.道教经戒的传度及仪次

道教戒律是道士修持的重要法度。戒律条文制订出来之后,如何向教徒贯彻,使之成为共同的修持准则,潜移默化到教徒的言行践履之中,便是一个推行教法的重要问题。

用张贴文告的形式,将戒律条文公布于众,是道教推行戒律的一项重要措施,而且颇有传统。

道教推行戒律,还有另一个历史更悠久的传统,即传授经戒,这个传统从南北朝时便开始了。传戒的同时授经箓,既与道教的教阶制度密切相关,又是教内通行的一种教学方法。

南北朝隋唐时期,道教的戒律传度大约是附属于经书传授的。经书传授要求隐秘,所以传戒活动也不公开。传授经戒时要设斋会,延请师长的朋友、门徒等,“必是同志,不可异人”。其中,以一人为正师、一人为监度师、一人为证盟师,其次以五人为都讲,称“五保”,以六人为监斋,以七人为侍经、以八人为侍香、以九人为侍灯。所传经戒，由师长手书一通以授弟子，弟子再手书一通以奉师长，并要求作精确校对。受经戒后，以相同经书一式两份，一份柏函盛之，妥善封存，另一份作平时诵习之用。对于这些经戒，“自非同志，慎勿假借，窃写盗取，其罪尤深。”从这里可以看到，由于授经要求隐秘，使传戒活动也具有隐秘性。

这种授经同时传戒的传统，在道教中历代相沿。戒律传度附属于经书传授，将戒律的推行与经法教学结合起来，并根据所受经戒的不同确定教阶，如高玄法师、升玄法师、三洞法师等，使教徒知进取，是道教推行教法的一项重要措施。

按照道教自身的理解，戒律的传度象征着教法的薪火相传，是道派绵延的一种表征，所以有一套规范化的仪式，以体现其对于神圣事业的慎重。北宋道士贾善翔编《太上出家传度仪》，系统载述了为新出家道士传度戒律的仪式。主持传度仪的，有三师，即经师、籍师、度师。先引受戒弟子于神像前，三拜上香，再由度师祝香，祷告神真，具陈出家受戒之意。再设案，度师坐于案前，受戒弟子礼拜度师，面北长跪，听度师讲说出家因缘。次则向北遥拜帝王、向先祖坟茔遥拜、拜辞父母、亲知朋友。引受戒弟子立于三师前，由知磬请三师宣三归依。受戒弟子再长跪，具文自陈请求传度之意。复由度师读白文，请保举师为脱俗衣。保举师脱去受戒弟子俗衣后，要念诵赞辞。受戒弟子改着道服，次序是先着履，其次系裙、着云袖、披道服，每穿一件，都由度师诵赞辞。顶簪冠之前，先由度师持于手中赞辞，然后受戒弟子长跪度师座侧，为戴冠，同时念三遍“与道合同”。受戒弟子执简后，由度师为说十戒。每说一戒毕，即问“能持否？”受戒后，度师向受戒弟子有一番郑重告诫，最后引受戒弟子礼拜三师，发十二愿。

自元以降，道教正一派通行授箓，全真派则通行传戒。元明两朝，全真传戒大概是非公开的。全真派公开传戒，由王常月创例。王常月曾于北京白云观三次登坛说戒，度弟子千余人。但全真传戒三坛中的第二坛依然是密坛，大概属于非公开传戒的遗风。

清代全真派的传戒活动，可略见于小柳司气太《白云观志》载述。据其说，清初传戒，每年以二千人为定额，以百日为期。嘉庆以后，渐次削减。每年的传戒活动，分为春秋两期，春戒自二月十五日至四月初八日，秋戒自十月十五日至十二月初八日。各地道院来求戒的戒子，提前半月报到注册。戒前三日，照册清点，沐浴一次，戒坛则分为三期。第一期在大殿前举行，宣告要目。第二坛为密坛，夜深人静时传度，发给戒衣、戒牒、锡钵、规四种法物。第三坛宣示全真大戒。

受戒的戒子，要接受经典考试和行为举止的考查，最后成绩要作记录，并以千字文为序，排定名次。记录上写明字号名次，戒子姓名、道号、年龄、生辰、出家道观、度师姓名等。其中，得天字第一号者，将作为方丈的候选人。

传戒时，方丈称律师。以下又有八大师，即讲解经文的证盟大师、监督戒仪的监戒大师、为作保■保戒的保举大师、教导戒子仪规的演礼大师、纠正戒子仪规的纠仪大师、负责经堂诵经礼忏的提科大师、为戒子定道号的登箓大师、主持道场的引请大师。

3.道士的称谓

道士的称谓,有些是习惯性和礼仪性的,如称道长、大师等;有些则是职司性和身份性的,如方丈、监院、三洞法师等。按照道教的传统,称谓可分为两大类。一类是神前上表奏章疏、祈请祷告时的自称,这一类与所受经书戒箓及所在道阶有关,按照道教的教规,受相当的经书戒箓及相应的道阶后,可以在神前称"臣",所以这一类自称,近似于世俗臣僚向皇帝上奏疏时的题署,内容包括爵禄官职,道士上章则要写明道阶法号等。另一类则是日常礼仪性和习惯性的,包括道士的互称、世人对道士的称呼等。《洞玄灵宝三洞奉道科戒营始》说:"道民、贤者、信士、善男子、善女人、行者,皆是道士女冠美前人之称,非是词状控告之限。即法师、大德、尊师、上人,是外属男子美出家之称,亦非启奏表请之宜。又如贫道是出家之谦词,弟子是在俗之卑称,复非三宝前所用,此又异三洞弟子法师之称。"其中,所谓"词状控告"、"启奏表请"、"三宝前所用",都是指神前奏章时规范化、格式化的自称,此为一类。其他出于礼仪性和习惯性的为一类。

神前奏章时的自称,实际上就是道教的教阶。礼仪性和习惯性的道教称谓,有些也是从教阶制度中变化出来的。变而为礼仪,就成为道教的某种标志。再相因而成习惯,说明这种标志得到了教内外的承认。

站在道教自己的立场上看,各种称谓都有特定的涵义。道教制立称谓名目,实蕴涵了某种宗教追求。例如:关于道士,《太上太真科经》云:“凡开辟之初,圣真仙人皆宣道气,立法相传,同宗太上,俱称学士。以道为事,故曰道事。道事有功,故号道士。道士者,以道为事。”又如:关于先生,《敷斋威仪经》说:“学士若能弃世累,有远游山水之志,宗极法轮,常坐高座读经,教化愚贤,开度一切学人也。若复清真至德,能通玄妙义者,随行弟子同学,为称某先生。其人钩深致远,才学玄洞,志在大乘,当称玄静先生,或游玄先生,或远游先生,或宣道先生,或畅玄先生。略言其比,不可胜载。须世有其人。学者称夫先生,道士也。”从以上数例可以看出,道教的称谓已经形成某种教规制度或礼仪习惯。

道士的称谓有许多,如天师、正一真人、大德、女德、女冠等,其中许多对于研究道教史都有名物训诂方面的参考价值,但现在都废弃了。

现在教外人称道士,一般通称为“道长”,不分男道士和女道士。叙述性的称谓,则男道士为“乾道”,女道士为“坤道”。教内年龄相若者,一般互称“师兄”、“道友”,不分男女或派别。对年长道士,有些地方性的习惯,如西北地区多称“某爷”,而西南则多称作“某大师”。宫观内一些道士的称谓与职司有关,如方丈、监院、住持,后二者在习惯上又称作“当家”。近年各种道教协会组织纷纷成立,与职司相关的称谓,又有“会长”等。

4.道士的日常修持

宫观道士的日常修持,大略可分为两类。一类是规范性的日常功课,另一类是宗教生活和文化生活方面的自习自修。

日常功课分早坛功课和晚坛功课,主要内容即诵经念咒。所用经书,一般是黄绫封面的刻印经褶本,道士人手一册,平时念熟,早晚坛时入殿堂或念或唱,由高功或经师领头,有时则有唱有和,念时敲打铃铛木鱼等法器,以合音节。早坛功课经,主要有《太上老君说常清静经》、《高上玉皇心印妙经》、《太上灵宝天尊说禳灾度厄真经》。晚坛功课经,主要有《元始天尊说升天得道真经》、《太上洞玄灵宝救苦妙经》、《太上道君说解冤拔罪妙经》。经文一般都很短,多是四言韵文,便于诵唱。经文前有咒,如《净心神咒》说:“太上台理,应变无停,驱邪缚魅,保命护身,智慧明净,心神安宁,三魂永久,魄无丧倾。”其余有《净口神咒》、《净身神咒》、《安土地咒》、《净天地神咒》、《祝香咒》、《金光神咒》、《开经偈》及《上元天官宝诰》等多种诰文。

日常功课是宫观道士的日常必修课,按清规,居观道士每日必须上殿诵念早晚坛功课经。作为功课经的经诰,多出于南北朝及唐宋时期,如《太上洞玄灵宝升玄消灾护命妙经》出于南北朝,《太上老君说常清静经》约出于隋唐,大都有历代高道所作解注，且多已收入《道藏》。这些经，或以清静为宗，或以精气神之内修内炼为本，是很凝练的道教教理教义。

除规范性的早晚功课外，还有较为丰富、较为自由宽松的宗教生活和文化生活。宫观内道士，以早五更开静，敲钟、打云板为号。起床后，洒扫殿堂庭院，练习太极拳、八卦掌等道教武术，有些高功则要练习嗓子。白天各司所职，晚上入静前，是道士的自习自修时间。有些宫观，要不时将道士集中起来，学习经书。高功、经师有时也汇集一起，学习经忏。但大多数时间，道士可自由选择修习内容，如研习经书、琴棋书画等。在古代，各种宗教活动往往要用符，所以道士多勤于练习书法，这是道教的一种文化传统，现代的一些道教宫观，依然有颇浓厚的练习书法的风气。止静后，道士通常要练习内丹功或静功。

5.道教的重要节日

道教节日与道教的神真信仰和宗教生活密切相关，在不同的节日，一般要举办相应的斋醮法事，不但道士集会，而且影响到民俗活动，有大量的朝观香客，风俗相沿，形成“庙会”。

因为与民俗活动早有关系，又吸收中国传统节气时令，所以道教的节日很频繁。春秋二分、冬夏两至，即道教的八节斋。所谓“祀祠同俗”，是因为道教本即产生于中国的世俗社会，民间文化及习俗，是道教的一个重要来源。

曾在教内外流行的主要道教节日，大约如下：

（一）三会、三元。三会日和三元日，据说都是五斗米道的节日。但从现存资料看，三元日似乎是从三会日演变出来的。自隋唐以降，三元成为道教的重要节日，如《要修科仪戒钞》卷八引《玄都大献经》说："正月十五日，天官校戒，上元斋日；七月十五日，地官校戒，中元斋日；十月十五日，水官校戒，下元斋日。此三日能斋，三官勒名善簿。"上元节即民俗之"元宵节"，又衍传为天师张道陵的诞辰。七月十五是道教的中元节、佛教的盂兰盆节，民俗则称作"鬼节"，保留了古代五腊祭鬼神的遗风。

（二）戊日。戊日是道教的重要忌日，道教称作"戊不朝真"。其法是以干支纪日，逢六戊日，即戊子、戊寅、戊辰、戊午、戊申、戊戌，关闭殿堂，不上香，不诵经，殿堂门上悬挂戊字牌。此六戊为"明戊"。另有所谓"暗戊"，如四月的寅日，八月的申日等，精熟此道者亦为忌日。

（三）祖师诞辰。道教是多神教，既有各宗派共同崇拜的三清四御尊神，也有宗派各自崇拜的祖师神。前者反映出道教的基本信仰及教义，后者则多与地方性的民俗活动有关，演衍为影响不等的道教节日。其中许多都是相因成俗的，若详加案考，则往往有不合史实者。不过，道教节日终归是习惯的宗教活动和民俗活动日，我们即依道教习惯，简列其祖师诞辰如下：

正月三日，全真七子之孙不二、郝大通诞辰。

正月九日，玉皇上帝诞辰。

正月十五日,天师张道陵诞辰。

正月十九日,全真七子之丘长春诞辰,即燕九节。

二月初一,全真七子之刘长生诞辰。

二月三日,文昌帝君诞辰。

二月十一日,太上老君诞辰。

三月初三,真武大帝诞辰。

三月十八日,全真七子之王处一诞辰。

三月二十八日,东岳大帝诞辰。

四月十四日,吕祖纯阳诞辰。

四月十四日,钟离权诞辰。

四月十八日,紫微大帝诞辰。

五月初一,南极长生大帝诞辰。

五月十三日,关圣帝君诞辰。

五月三十日,全真七子之马丹阳诞辰。

夏至日,灵宝天尊诞辰。

六月二十三日,火祖诞辰。

六月二十四日,雷祖诞辰。

六月二十五日,二茅茅固诞辰。

七月十二日,全真七子之谭处端诞辰。

八月一日至二十七日,北斗星下降之期。

九月一日至九日,南斗星下降之期,即九皇会。

九月初九日,王重阳诞辰。

十月初三,大茅茅盈诞辰。

冬至日,元始天尊圣诞。

十二月初二,三茅茅衷诞辰。

十二月二十三,灶神升天日。

6.道教斋法的类别

道教斋法,从形式上讲是随着时代变化的经典礼仪与民间风俗礼仪的结合。斋法即斋的具体作法,也就是斋的表现形式。

灵宝斋法,在晋南北朝时只是道教斋法的一类,是灵宝派或称灵宝经系的斋法,其他道派或经书传承系统,如上清、正一、三皇、洞渊神咒及寇氏天师道等,也都有自己的斋法。诸派斋法中,以灵宝斋法最规范而有系统,对后世道教的影响也最大,直至元明以降,正一、全真两派斋醮,莫不宗源于灵宝。

在道教史上,对斋法的类别进行系统的划分,大约始于南朝刘宋时。两晋时,不但早期的五斗米道、太平道、帛家道等各有所传播,并衍生出许多新道派,如上清派、灵宝派、三皇派等等。每个道派都有自己的斋法,作为本派的宗教形式或外部特征。道派孳乳,斋法随之繁琐复杂。互有同异而并立,彼此间不能联系为一个整体,于是经科教法散杂无序,修持各依一术,而无渐进品阶。但各派又有基本相同的信仰,信仰使道派与道派之间彼此认同,构成一个整体的宗教意识。斋法的派系散杂,与这种整体的宗教意识不相应,于是要对斋法进行品类区分,使之规范化、系统化。

规范化、系统化,就是道教区分斋法品类的主要目的。在斋法的规范化过程中,陆修静所提出的九等斋十二法,无疑是一次重要的里程碑。所谓九等斋,是对灵宝派斋法的划分,包括指教斋、太一斋、洞神三皇斋、自然斋、八节斋、三元斋、明真斋、黄箓斋、金箓斋共九种。其中,明真斋、指教斋来源于五斗米道,洞神三皇斋是三皇派的斋法,太一斋很可能与太平道有关。陆修静将这些斋法皆归入灵宝斋类,有未当之处,所以后来又有道士予以调整。但通过陆修静九等斋十二法的缔构,各派斋法便形成一个整体,使道教在宗教形式或外部特征上形成一个共同体。也许正因为缔构斋法对于整合道教发挥了重要的作用,所以成为基本范型,对后世影响深远。

唐宋时,由于新道派的出现以及某些道流的增饰,道教斋法演衍颇多。斋法不断地演衍,也就需要不断地统合。大约出于宋代的道书《金箓大斋启盟仪》,条例二十七品斋法,是对唐宋时斋法演衍比较系统的一次统合。该书认为斋法分内斋和外斋,内斋有太真斋、上清斋、大洞斋、金房斋四种,外斋有太一斋、九天斋、金箓斋、玉箓斋、盟真斋、黄箓斋、洞神斋、自然斋、三元斋、涂炭斋、拔度斋、洞渊斋、天宝斋、九幽斋、五练斋、正一斋、太平斋、三皇斋、八帝斋、北帝斋、旨教斋、解考斋、化胡斋等二十三种。这二十七品斋,大致囊括了宋以前道教各派的斋法。此书将各种斋法一概推源于灵宝,这个说法并不确切。灵宝斋虽为道教斋法的主流,但并不因此阻断其他道派因应地域性民间礼俗,而形成新的斋法。如外斋中的洞神斋、三皇斋属三皇派,涂炭斋、旨教斋是五斗米道之旧法,洞渊斋属洞渊神咒派,北帝斋属北帝派等等,各有道派渊源。该书一概推源于灵宝,与史实多有不符,但对于整合道派,却自有其旨。

另外,道教又有所谓杂斋法,即在不同的节日建斋设供。杂斋名目繁多,不可尽述。而其形式以及内容,与上诸斋法并无不同。

宋以后,道教的斋与醮合流,通常都统称为斋醮。

7.斋醮坛场的建制与法式

道教的斋醮,在形式制度上似乎很复杂。

古人的叙述性记载,以见于《隋书·经籍志四》较详。通过该书的直观性的记叙,我们可以对道教的斋醮形成一个初步的印象。第一,作斋时要建坛,坛场有一定的法式,例如坛有高低三层,用绵线作围栏等。所谓“傍各开门,皆有法象”,指坛场建置的宗教寓意,如天门地户、八卦榜等。第二,参与斋法活动的人,有人数限制,在坛场上作法的道士,各有职司,其中法师(即高功)一人,晋南北朝时称为斋主,坛场以外的人称为斋客。第三,附属于斋法活动的还有上章仪式,章表书写有特殊的格式,措辞有规定的要求。第四,醮仪与上章仪类似,所不同的是醮须设置酒脯等供品,时间被规定在半夜,醮仪在坛外举行。

坛场建制,有其宗教上的意义,即通真降圣。将这层宗教意义通过建构形象地表达出来,道教称之为“法象”或“法式”。从总体上看,各种斋醮坛场的法象或法式基本相同,如坛分三层,各用长短纂围栏,不同的方位悬挂不同的题榜等等。差别是规格方面的,即不同的斋醮类别,坛场有高低大小的不同。我们选择活动最频繁的黄箓斋坛作为范式,其次用金箓斋、三皇斋的坛式作比较,以见坛场建制的基本法式。

黄箓斋坛的建制法式,可用蒋叔舆编《无上黄箓大斋立成仪》卷二所载述的式样为基准。据此书载述,黄箓斋坛分梯级三层,称为内坛、中坛、外坛,每层坛高为一尺五寸、一尺二寸或九寸。根据具体条件,外坛也可以取平地为之,实际上只有两层。每层坛都用竹竿或木竿制成长短纂,立于坛边缘,用绛色绳或青色绳连成围栏,并依方位留出空门。具体要求如下:

内坛:用长纂十八枚,短纂十枚。长纂立出十门。二十八纂的最上端,用绳通围之,其下两围,不围十门。十门上悬挂用木板制成的题榜,榜的底色随四方位,即东方青色,南方赤色,西方白色,北方黑色,题字则按五行相生取色,如木生火,则东方青华元阳门用朱书等。十门中八门分别开在八方,另有代表上方的大罗飞梵门和代表下方的九灵皇真门,则分别设于西北角的天门和东南角的地户。其余纂与纂之间,悬挂用布幕制成的幡,按道教三十二天的说法,依方位称为三十二天幡。

中坛:用长纂八枚,在四角立成四门,用短纂二十枚合围四面。登坛出坛,只能从东南角的地户出入,另外的天门、日门、月门，严禁上下往来。中坛四门也须悬榜，亦随五方色，如天门在东北，用青书黑榜，其余以此类推。

外坛：只在正南方的离宫开一门，其余方位皆用长短纂系绳围栏。登坛出坛，从离宫门出入。分别于八方悬挂八卦榜。位于四角的巽、坤、乾、艮四宫，通用黄书黑榜，四正位的震、离、兑、坎四宫，则题字随五方色，底色取五行相克，如木克土，则东方震宫用青书黄榜，其余以此类推。坛外又有灯仪。

金箓斋坛式，可见于杜光庭《金箓斋启坛仪》。基本格式，与黄箓斋坛相同，如同样分内、中、外三层，亦有长短纂构成的十门、八卦榜等。但规格和安置次序与黄箓斋坛有所不同。金箓斋用于为国家祈祷安宁，所以规格比黄箓斋要高。金箓坛又以外坛开天门，地户等四门，与黄箓坛中坛开此四门不同。所同者，以内坛开十门。又以八卦榜施于都坛。

三皇斋坛较简。三皇坛方二丈四尺，亦用纂开设四门。但没有坛分若干层的记载，也没有八卦榜及十门等构件，只要求每方燃九灯，形制比较简单。

明清以来，道教的斋醮坛场在建构上有所简化。现在的道教宫观，通常都在各殿堂内建斋，因宫观的殿堂建制不尽相同，建斋的殿堂也没有一律的规定。遇大型斋醮活动，则选台基高处建坛，用钢筋架构，以布幕覆盖，门上题坛的名称，如元始坛、上清坛等，没有十门及八卦榜等名目。

8.道教宫观的管理制度

道教的宫观,可以按照不同的标准进行不同的类别划分。如按照教派划分有全真派宫观、正一派宫观、净明派宫观等,同一教派的宫观又有祖庙与子庙的不同;按照营建规模去划分则有大宫观及专供一神的小庙、神祠等。同一座宫观,在不同的历史时期往往归属于不同的教派,所奉神真殿堂设置等方面也就会产生相应的变化。而从宫观管理制度的角度看,则大致上可以根据庙产的归属划分为两类,一类是庙产私有的子孙庙,一类是庙产国有的十方常住。

宫观所有制的归属不同,管理制度也自有异。子孙庙的管理,实际上没有成文的严格制度,师父为一庙之主,徒众由师父指派职司,本质上与宗法制的世俗家庭或家族无异。因为庙产私有,而且规模通常都不大,所以只接待少数参访者,不留居十方道众,即不能开口,也不须悬挂钟板。子孙庙之成其为子孙庙,还有一个重要的标志,即可以收徒弟,但不能传戒。其徒众受戒,须送往十方常住。就其教法的传授而相比较,子孙庙类似于私塾,十方常住则类似于国立大学校。

属十方常住体制的宫观,云集各地各派道众,多是著名的大宫观。这种宫观,全真、正一两派都有,只是在口语习惯上叫法略有不同,全真派叫作十方丛林,如北京白云观,正一派则叫作宗坛,如江西龙虎山的上清宫。它们有一些共同的特点,如不能私收弟子,但可以云集各地道众,按期举办传戒或授箓活动,必须对各地道众开单口,接受道众留居,日常悬挂钟板,以敲钟击板号令作息,方丈、住持等职司的产生非师徒自然相授,而是有特定的资格要求,并且须经过道众公选等等。因为常住道众来自各地各派,彼此间有共同的信仰,互为道友,但多没有师徒关系,不能形成一种自然的秩序,在组织和管理方面就必须有一套规范化的制度。

在十方常住的宫观里,方丈的品阶最高,是宫观道众的精神领袖;方丈而下有监院或住持,负责宫观的实际事务;再次有都管,协助住持处理各种具体事务。其组织状况,自方丈、住持以下,习惯上有所谓"三都五主十八头"的说法。三都即都管、都讲、都厨,五主即经主、殿主、堂主、化主、静主,十八头即门头、庄头、堂头、库头、茶头、水头、火头、饭头、菜头、仓头、园头、槽头、青头、钟头、鼓头、净头、磨头、碾头。其中,都管、都讲等是一人一职,殿主、门头等则非止一人。而在有些大宫观中,实际职司还不止这些。

方丈作为宫观道众的精神领袖,实际上并不管理宫观的具体事务,作为仪范表率,其人选有一些特殊的要求。必得高年耆德,刚方正直之士,言行端庄,问学明博,足为丛林之师表,福地之依皈者为之。按旧例,十方常住传戒时,要对受戒者进行考核,考核包括举止仪范、通解经义等,并将考核名次张榜告示,其取为天字号第一名者,获方丈候选人资格。法嗣传位时,通常由前任方丈选择其中二三名,请其他宫观的方丈及监院共同审核资格,然后付之道众公议。如果本宫观中没有具备这种资格的人,也可以从其他宫观延请。

监院又或称住持,俗称当家,是宫观实际事务的管理人,通常由年富力强、精明干练者充任。其产生,原则上由道众公议公举,任期三年,连举可以连任,在任期间有重大过失,也可以由道众公议罢免。

都管协助监院管理各方面事务,协调不同职司间的工作。

都讲由熟知经忏书文者充任,宣讲经义、科仪。

都厨管理斋堂、客堂膳食,饭头、菜头、柴头等隶属之。

高功检查受戒道士之修持,主持大小道场,由熟知经忏威仪、诵经音律者充任。

9.道士服饰的特征

在许多史书里,都常可以看到儒生"服巾褐入道"的记载。服巾褐是道教徒的一种明显标志。巾是丝麻织成的幅布,作头饰,褐是粗布衣服。这两种服饰,都是在道教形成之前就有的日常用品,而后来却成了道教徒的一种服饰标志,可见道教服饰既原本于世俗社会,又有所别异于世俗社会。服巾褐的别异之处,在于戴巾者象征气韵清雅,衣褐则贫寒质朴,二者本不宜于搭配,而道士既求清雅,又存质朴,戴巾衣褐两相宜,于是有所别异于世俗,自成一种准式。这种略作变化即有所别异的例子,是道教服饰的常例,由其一可以概见其余。

根据道教服饰的制作及用途,可以分为两大类。一类是法服,用于坛场醮仪;一类是常服,是道士日常穿戴的。法服与常服(冠裳)的来源不同,法服来源于古代祭祀时的专用服饰,常服来源于古人的日常服装。从道教史上看,道教服饰自成一套衣冠制度,渊源甚古,可以说从道教产生时开始,便试图在服饰上制造出某种独特的标志。按照通常的说法,道教服饰由陆修静开始定为准式。而事实上,陆修静制立道教法服之准式,是在固已有之的基础上进行整顿,用以克服科律废弛、教规淆乱的流弊,使之规范化。

自晋南北朝至唐初,道教发展呈现出由道派纷纷形成而渐趋于统一的大势,道装的统一,大概也在唐初期。《三洞法服科戒文》所规制的道士法服七种如下:

一者初入道门,平冠黄帔。二者正一,芙蓉玄冠,黄裙绛褐。三者道德,黄褐玄巾。四者洞神,玄冠青褐。五者洞玄,黄褐玄冠。皆黄裙对之,冠像莲花,四面两叶,褐用三丈六尺,身长三尺六寸。六者洞真,褐帔用紫纱三十六尺,长短如洞玄法。七者三洞讲法师,如上清衣服,上加九色,若五色云霞,山水袖帔,元始宝冠。

在这七种法服中,除第一种"初入道门"者之外,其余六种皆与道派有关,确切地说,法服的差别反映出所受经箓及所属派系的不同。唐以后法服在制作工艺、佩饰图案等方面,不断有所改变,但这种改变与衣冠制度的关系不大。对道教的衣冠制度具有实质性影响的,是随着新教派的出现、教阶制度以及主要宗教活动的改变等,前述法服七种有所混合,保存的是其基本法式,而没有严格的七种分别。宋金元时,新道派不断涌现,反映晋南北朝道派流系的法服七种已不成定制,金元以后的全真道,教阶据所受戒律而定,与南方正一道据所受法箓以定教阶有所不同。而自明清以来,道教讲经的风习又远不及隋唐之盛,主要宗教活动是传戒授箓及斋醮坛场,隋唐时为升高座讲经法师特制的法服等,也就失去了实际意义。衣冠制度的这种种改变,从一个方面反映出道教教阶制度及宗教活动的历史变化。以下就现行道教服饰,作一些知识性的介绍。

现行道教服饰,属法服系列的有戒衣、法衣、花衣等。戒衣袖宽二尺四寸,是传戒时专用的。法衣是斋醮坛场上或宗教典仪中方丈、高功、经师等职司所穿戴的,职司的分别,通过所绣图案或颜色的不同显示出来,如方丈法衣多用紫色等。花衣又称班衣,是做日常功课时,持诵经典的高功、经师所穿戴的服装,称花衣,但素净不绣花,只是衣与襟、领等有颜色间配。属常服系列的主要有衬与袍两种,衬分大衬、中衬、小衬。大衬袖宽一尺四寸,右腋开襟,有两飘带。小衬则多用对襟。袍即道袍,又称“得罗”,袖宽在一尺八寸以上。这两种服装多用青色,以象东方生气。

古代道装的裙,后代废置。现行道装除上衣外,还有冠巾鞋袜。冠约有五种,即黄冠(月牙冠或称偃月冠)、五岳冠(复斗形,上刻五岳真形图,受戒道士戴)、星冠(复斗形,上刻五斗星形,拜斗时戴)、莲花冠(又称上清冠,高功戴)、五老冠(莲瓣形,中绣五老像,高功戴)。巾有多种,如冲和巾、纯阳巾等。

鞋有又脸鞋和云头鞋两种。袜为高筒白布袜，裤管束入袜筒内。

10.道教的符箓咒语

在道观或民间乡村，我们经常看到道士用画符、念咒、发放法箓的手段为老百姓消灾除病，然而符箓、咒语真有这样的神奇作用吗？

符，不是道教特有的东西，早在西汉以前就出现了符，有符节、符信，以及竹使符、铜使符、虎符等。当时只把这些符作为君臣之间、人与人之间表示征信的器物。

随着两汉天人感应说、谶纬学说的兴盛，符由象征信物的作用演变为具有预测事变的神秘色彩，这时符象征上天的意志，是天命神令的指示，与原始的符信含义，完全不同了。

符文的驱邪治病说实际上是在五斗米道创始人张道陵时期才产生出来。传说张道陵曾往阳山治妖，有毒龙于深水池中兴风作怪，张道陵书符一幅，投入水中，龙妖即逃去。从此，张天师门下就大力宣传画符治病，驱邪伏魔。符箓有镇鬼去殃、保护家室的作用。不但对存活于世的人有此作用，就是埋葬死人时，也经常要书画镇墓符。在当时自然科学、医疗卫生落后的社会中，认为人生病，是因妖魔作怪或自己过错。因此忏悔谢过，驱妖伏魔就能痊愈。所以，很容易就接受了张天师画符治病说。魏晋南北朝以来，符文被道教各派采用，符的意义更增添了神秘的宗教色彩。

法师画符用的是毛笔、墨锭、清水、朱砂、五色土纸，或绢、木、竹简、陶瓷、门、窗、墙壁等，作为道符的载体。符文书写多以大、小篆、虫书、云篆、象形画等结合使用。符图的使用，通常外用法为：佩戴、沈水、埋地、贴挂、点涂、洗拭、雕刻等。内用法则为烧灰服用、吞服等。

符文是一种画在纸上的象形会意的文字图形。就其物质结构看，毫无医疗作用。道士宣传它的治病功能，只是道教门内把它看作是从上天那里得到的调遣鬼神权力的兵符或护身符，是驱鬼辟邪、祈禳赐福的发令书。道教的符箓图文是多种宗教意义的集合体，道士们从这种奇妙莫测的文字中寻找精神寄托，在幻想中体现对自然、对社会的征服心理。它作为人与神、人与宗教世界主宰力量沟通的媒介，是宗教超灵感应的体现，是人类希求借助它力来战胜现实社会中邪恶、灾害的精神力量的象征。

箓，通常记录有诸天官曹名属佐吏的法牒，牒中必有相关的符图咒语，所以又通称法箓。道士们认为箓文是上天灵气衍化而成，布于笔墨，才成了龙篆章文。箓文是道士个人修身立业，迁升道职的证书，没有为他人防灾除疾的作用。据此，“箓”类似官方文书，以证明道士的身份与成就，依其修行功力境界的不同，由低级到法师高真，授予不同的箓牒文书，文书中亦按等级绘有多少不同的神像、星宿、诸天曹神官兵吏的名称、数额和职能。符箓中还常配有相关的符咒、戒令。修道层次越高，听召天神越多，法力越灵验。因此，道箓便成为道教教法中重要组成部分。

符箓咒术创自东汉,魏晋时期得到发展。道徒入道,首先要拜师传授经文法箓,不同道派,不同等级的道士所受经箓不同,如:上清道派受上清大洞经箓,天师道派受正一法箓,灵宝派受灵宝经箓。因此,道箓又成了道士门派,迁升道职的文凭证据。

至唐代,已形成了完整的符箓道派传承经戒法箓的制度和方法,为了增加箓文的神秘性、宗教灵验,法师们把箓文说成是太上神真的灵文、九天众神的法言。因此,箓文的绘制采用象征云霞烟雾的篆体,排列众多天仙神祀名号,道士做法事时,主要依靠驱使箓文中的功吏官属,所以,要背熟箓文内容,成为做法事的凭借。

符箓在宗教实践中有一定心理效益。人类的疾病有一部分来源于精神因素。道教利用高功法师通过宗教意念作用把气功状态下脑海中所出现的宗教图文影像转移记录在纸上,给需求者一种心理灵感暗示,产生对神灵的寄托感,满足宗教心理的祈求。通过这一信息在体内的调理,使情绪趋于平稳,使精神得到安慰。

咒语,是法师口中常念的三言、四言的短语,少则数字,多则数百字。道教的咒语来源于先秦时期巫觋的"咒禁法"。祝咒诀语,统言之都是法师与神明交谈的语言,细言之,又各有差别。既然祝文是天上神灵的语言,自然神妙莫测,并有无穷的法力,可以"召群神使之",可以"使神吏为除疾。"人和神可以对话,可以传授灵验,因而安慰和暗示是这类神谶祝语具有效力的原因所在。这样,非人间的神权采用人间惯用的形式,使人们潜意识中的权威意识得到了满足。

佛教传入后,亦多受佛徒香咒、赞偈的影响。南北朝以后,咒语发展成了对神明赞诵、祈诉、传令的秘语或颂词了。到了唐朝,咒语中吸收了许多方言,外来语、民俗俚语,因此其中多夹杂有方言俚语和梵文音译文字,咒语的内容变得奇曲晦涩,往往带有神秘性、不可解释性。在字数长短、音节快慢、短语韵律中有一定的规律,可以反复吟诵,加入舞蹈动作,以增强咒语的效果。在内容上扩充为对神吏的嘱托,对鬼卒的呵叱、对仇人的诅咒、对病魔的降伏、对神灵的祈求、对自我的禁诫等。在古老的时代,人们对自然充满了希冀的同时,也充满了恐惧,充满了敬仰,人们笃信咒语,除了它是神示之外,更重要的是它有威慑人们身心思想的力量。它表示了人们的一种精神,一种情绪,一种意望,一种宣泄。当人们念诵起充满刻骨仇恨的咒文时,一种复仇的狂热,一种咬牙切齿的激情,不能不使人感到胆战心惊;当人们念诵起安详和谐的咒语时,美好的心绪,减轻了心灵的压抑。咒语对宗教信仰者的作用是可以想象的。在这样的需求下,信徒们并不追求理解咒文语义,而是更迷信于它的宗教色彩,利用它传达天神命令,或向天神申述心声,祈求福祀。从此咒语变成了信徒与神灵交往的重要手段。

11.道教的内丹修炼功法

道教内丹修炼术是隋唐以来集道教服气、存思、辟谷、静功等诸种养生术以及中医藏腑经络学说而成的重要功法,它直接影响了后世道教理论和修养方法的发展。

内丹,内指身体内部,丹指小而圆的精神意识的产物。道教内丹术把人身体比作“炉鼎”,把人体内循环运行的经络比作内丹修炼的通道,在人为的精神意识的严格控制下,利用体内元气的推动力,把人体分泌的精液(女子指卵分泌的精液、男子指生殖精液)经过周身循环的修炼,使精、气、神凝为“圣胎”,或称“丹药”,这种功法,就称为内丹术。修炼此项功法的派别,在道教内被称为内丹派或丹鼎派。

内丹术基本分为四个步骤完成,首先是筑基,即保养身体,打好丹鼎的基础。道教内丹以身体为基本,所以炼功之前要去除一切病症,补足亏损,男性要断绝房事,女性要回绝月事。然后要改变日常呼吸,道教认为呼吸“顺行成人,逆行成仙”,所以炼功时呼吸必须是吸时收腹,呼时鼓腹,呼吸细长均匀而深厚。《天仙正理直论》曰:“修仙而始曰筑基,基者,修炼阳神之本根,安神定息之处所也。精气旺,则神亦旺,而法力大。精气耗,则神亦耗而弱。……是以必用精、气、神三宝合炼,精补其精,气补其气,神补其神,筑而成基,唯能合一,则成基,不能合一,则精、气、神不能长旺,而基即不可成。及基筑成,精则固矣,气则还矣,永为坚固不坏之基,而长生不死。”

第二是炼精化气,又名“初关”、“小周天”、“百日关”等。精指人体内具有生殖力的精液,具体过程分四个层次,即第一:采药,当精液发生时,及时锁住。第二:封固,勿外泄。第三:烹炼,转动河车,行小周天,神气凝结。第四:止火,指内药已生成,当为第三步炼气化神做准备。

第三阶段是炼气化神,又名“中关”、“十月关”、“大周天功”。这一阶段修炼的目的是指精、气、神凝结为一,结成圣胎,在体内循行。内丹功关键在于运转大小周天,就是指在精神意志的导引下,运丹药沿任督二脉循环。先从背后面经过督脉上升,称为通三关,即通过尾闾、夹脊、玉枕三个部位。然后沿着前面三丹田下降,三丹田指脑部泥丸、胸部黄庭和腹部脐内。通三关内丹术语称为“进火”,降三田内丹术语称为“退符”。道教认为人身系一小天地,天行一周三百六十度,所以称作周天功法。

最后阶段是炼神还虚,又名“上关”、“九年关”。这一阶段为内丹修炼的高级阶段,也是一种出神入化的理想境界。道教认为丹药炼成后,可以从脑户出入,化为身外之身,永世长存。这当然充满了宗教神秘主义色彩。

圣迹与宫观

1.道教宫观名称的由来

中国现行五大宗教,在宗教活动场所的称谓上,以道教最为复杂,诸如祠、庙、府、洞、道院等等,最常见的,是某某宫或某某观。

称作宫观,有一个历史过程,《道书援神契》说:"古者王侯之居,皆曰宫,城门之两旁高楼,谓之观。殿堂分东西阶,连以门庑,宗庙亦然。今天尊殿与大成殿,同古之制也。"自秦以后,宫为帝王皇宫、行宫之专称。观是皇城城门两侧的建筑物,登高可以望远,取义而名为观。又或称作阙。观的本义如此,用来指称道教庙宇,则起源于汉,相沿于北朝,通行于唐代。

道教中有个传说,出《楼观先师传》,称周康王时大夫尹喜,曾于其居结草为楼,用以观星望气,物色真人,因起名为楼观。老子出关西行,尹喜延请至楼观,于是为说《道德经》等。推此为道教之始,道庙称观由此创例。楼观大概就是最早的道教宫观。

由于道派源流不同,所处地域也不同,五斗米道的活动场所不称作观,而称为治、靖室,作为其流系的南朝天师道,又多取名为馆。

南方道教由道馆变而称道观,与北方道教相同,是入唐后日渐通行的,且多为朝廷敕建并赐额。如唐高祖武德三年改楼观为宗圣观,唐太宗为王远知在茅山造观一所,等等。

道观升格而为宫,是从唐玄宗时开始的。玄宗开元二十九年,制两京及天下诸州各置玄元皇帝庙;天宝元年改两京玄元庙为太上玄元皇帝宫;次年,复改西京玄元庙为太清宫,东京为太微宫,天下诸郡则为紫极宫。宫中供奉圣祖大道玄元皇帝。至宋徽宗时,听信道士林灵素言,自称太霄神君,诏改天下天宁万寿观为神霄玉清万寿宫,供奉长生大帝君、青华帝君像。自此以降,道教庙宇称作宫观,成为普遍的现象。

2.宫观建制的基本格局

道教宫观的建筑,在设计、布局、营造等方面,都有一定的法式规制,但并不强求一律。宫观是按照想象中的神仙天堂和洞府仙境而建制的,拟仪天堂而建宫观,让天堂再现于人间,可以说这是宫观建制的基本指导思想。所以,宫观建制没有教条性的模式,给自由想象留下了广阔的空间,也符合道家文化中崇尚自然和谐的审美意识。但宫观作为建筑群体,其中的殿堂楼阁并非纷然杂陈,混乱无序,在殿堂布局、殿堂设置等方面,又都有其基本的定式。历史地看,这种基本定式是在唐代形成的,以后虽代有沿革,但总体上看始终保持着唐代建制的雏形。下面即依准《洞玄灵宝三洞奉道科戒营始》的载述,取用后代宫观建筑作为例证,略述殿堂设置及基本布局。

据其载述,齐备的殿堂设置,有如下五十一种:天尊殿、天尊讲经堂、说法院、经楼、钟阁、师房、步廊、轩廊、门楼、门屋、玄坛、斋堂、斋厨、写经坊、校经堂、演经堂、熏经堂、浴堂、烧香院、升遐院、受道院、精思院、净人坊、骡马坊、车牛坊、十方客坊、碾硙坊、寻真台、炼气台、祈真台、吸景台、散华台、望仙台、承露台、九清台、游仙阁、凝灵阁、乘云阁、飞鸾阁、延灵阁、迎风阁、九仙楼、延真楼、舞凤楼、逍遥楼、静念楼、迎风楼、九真楼、焚香楼、合药堂等,此外还有药圃、果园、菜园等。这些建制,不必每座宫观都齐备,具体的造设规模也因时任力而经营,但由此形成了殿堂设置的基本准式,后代宫观建制,除神殿因新教派出现而有所增加外,大体上在此五十一种范围之内。下面选择一些主要的设置,略作介绍。

天尊殿　天尊殿供奉道教的最高神尊,是宫观的主体建筑。此殿之营造,既可砖石葺构,金玉雕饰,也可茅茨土阶,简素质朴。殿内可雕龙画凤,图云写月,但不能安置三清以外的神像。

说法堂　建堂屋以讲经说法、宣教布道,是道教的一个重要传统。隋唐道教将传经讲道作为一项重要的宗教活动,听众多,场面也很大。具体地址一般在天尊殿之后,但为了宽敞,也可以别置于天尊殿左右。

钟楼、经楼　这是变化比较大的两种建置。按唐制,钟楼与经楼相对而立,位于天尊殿前方的左右两侧。经楼珍藏三洞四辅,即七部道教经书,要求通风顺畅,但隔绝雨露。钟楼的要求是牢固,但四面墙壁则须疏薄,使钟声无阻碍。道观造构鼓楼,与钟楼相对立,大概始于明清之际。

从总体上看,道教宫观具有宫殿式建筑和园林式建筑的双重风格。殿堂为祀神之所,具威仪,但并不给人高耸突兀的感觉,不突出那种凌驾于众生之上的宗教气氛,具威仪而可以亲近,是天堂却并不悬隔于现实,大概就是殿堂建制最通常的视角效果。宫观作为建筑群,既浑然一体,又层次分明,在殿堂楼阁之间都有所间隔,构成一个相对独立的院落。院中或古木参天,或茂竹修林,或花团锦簇,与主体建筑形成一种立体效果。

3.十洲三岛和洞天福地

道教称有十洲三岛,又有十大洞天、三十六小洞天、七十二福地,都是神仙栖息的胜境阆苑。古人的地理观念认为,人类聚居在陆地,四周环绕海洋,道教所说的十洲三岛在四海之中,洞天福地则在陆地之内。

关于十洲的说法,见于《云笈七签》卷二十六。旧说东方朔曾向汉武帝叙其事,十洲为祖洲、瀛洲、玄洲、炎洲、长洲、元洲、流洲、生洲、凤麟洲、聚窟洲。

这十洲都在四海之中，上有神草异兽，人得之可以长生不死，洲上还居住着神仙真人。

关于三岛，说者不一。有的说是海上三神山，即蓬莱、方丈、瀛洲，徐福入海，就是寻这三神山；有的说是昆仑，方丈、蓬丘（即蓬莱山），又或以扶桑易方丈。三岛说与神仙信仰的起源，关系十分密切，神仙信仰起源于远古神话传说，古代神话有昆仑和蓬莱两大系统。一般说来，出昆仑的多是"神"，如黄帝、西王母等；蓬莱系统则以方仙居多，如宋毋忌、羡门高等。

洞天福地则多是道教名山或胜境，都可以指实某地，可以考证。道书中有唐道士司马承祯编集的《天地宫府图》和唐末杜光庭的《洞天福地岳渎名山记》，二书详述十大洞天、三十六小洞天、七十二福地所在之处。洞天福地都有某仙人领治。按照道教的说法，洞天是由上天派遣上仙统治，福地则由上帝命真人治之，其间多真仙得道之所。这些名山或胜境，大概都是唐以前道教活动比较集中、比较活跃的地方，道士将这些地方编排记录整理，便有了洞天福地。洞天福地为仙真所统理，是修真得道之所。据《云笈七签》卷二十七所载，列如下：

十大洞天　说是上天遣群仙统治之所。第一河南王屋山，号小有清虚之天；第二浙江委羽山，号大有空明之天；第三陕西西城山，号太玄忽真之天；第四西玄山，号三元极真洞天；第五四川青城山，号宝仙九室之洞天；第六浙江赤城山，号上清玉平之洞天；第七广东罗浮山，号朱明辉真之洞天；第八江苏句曲山，号金坛华阳之洞天；第九江苏林屋山，号龙神幽虚之洞天;第十浙江括苍山,号成德隐玄之洞天。

三十六小洞天　亦为上仙所统治。依次为:福建霍童山,名霍林洞天;山东东岳泰山,名蓬玄洞天;湖南南岳衡山,名朱陵洞天;陕西西岳华山,名总仙洞天;山西北岳常(恒)山,名总玄洞天;河南中岳嵩山,名司马洞天;四川峨眉山,名虚陵洞天;江西庐山,名洞灵真天;浙江四明山,名丹山赤水天;浙江会稽山,名极玄大元天;陕西太白山,名玄德洞天;江西西山,名天柱宝极玄天;湖南小沩山,名好生玄上天;安徽潜山,名天柱司玄天;江西鬼谷山,名贵玄司真天;福建武夷山,名真升化玄天;江西玉笥山,名太玄法乐天;浙江华盖山,名容成大玉天;浙江盖竹山,名长耀宝光天;广西都峤山,名宝玄洞天;安徽白石山,名秀乐长真天;广西岣嵝山,名玉阙宝圭天;湖南九嶷山,名朝真太虚天;湖南洞阳山,名洞阳隐观天;湖南幕阜山,名玄真太元天;湖南大西山,名大西华妙天;浙江金庭山,名金庭崇妙天;江西麻姑山,名丹霞洞天;浙江仙都山,名仙都新祈仙天;浙江青田山,名青田大鹤天;江苏钟山,名朱曰太生天;江苏良常山,名良常放命洞天;湖北紫盖山,名紫玄洞照天;浙江天目山,名天盖涤玄天;湖南桃源山,名白马玄光天;浙江金华山,名金华洞元天。

七十二福地　是真人所治,多为修道之所。次第为:江苏地肺山、浙江盖竹山、浙江仙磕山、浙江东仙源、浙江西仙源、浙江南田山、浙江清屿山、江西郁木洞、江西丹霞洞、湖南君山、浙江大若岩、福建焦源、浙江灵墟、浙江沃州、浙江天姥岑、浙江若耶溪、安徽金庭山、广东清远山、广东安山、广西马岭山、湖南鹅羊山、湖南洞真墟、湖南青玉坛、湖南光天坛、湖南洞灵源、福建洞宫山、浙江陶山、浙江三皇井、浙江烂柯山、福建勒溪、江西龙虎山、江西灵山、广东罗浮山泉源、江西金精山、江西阁皂山、江西始丰山、江西逍遥山、江西东白源、江苏钵池山、江苏论山、江苏毛公坛、江苏鸡笼山,河南桐柏山、四川平都山、湖南绿萝山、江西虎溪山、湖南彰龙山、广东抱福山、四川大面山、江西元晨山、江西马蹄山、湖南德山、陕西高溪蓝水山、陕西蓝水山、陕西玉峰山、浙江天柱山、陕西商谷山、江苏张公洞、浙江司马悔山、山东长在山、山西中条山、四川茭湖鱼澄洞,四川绵竹山、四川泸水、四川甘山、四川晃山、湖南金城山、湖南云山、河南北邙山、福建卢山、江苏东海山。

4.天下道教祖庭——楼观台

楼观台位于陕西省周至县终南山麓。道教相传,周代函谷关令尹喜,曾在其故宅结草为楼,观测星象,瞭望云气,所以称作草楼观或楼观。道教庙宇称作道观,即由此沿袭而来。据说,尹喜仰观天象时,忽见有紫气东来,吉星西行,知必有圣人临关。当时老子西游,经函谷关。尹喜乃前往迎拜老子,请入楼观,并请著书以传后世,老子便在说经台讲授道德五千言,由此玄风大起,楼观便成为最早的道教圣地,被称作“天下道教祖庭”。迄今楼观还留有说经台、老子墓、系牛柏等遗迹。

楼观道教,兴起于后晋,兴盛于唐代。唐朝推老子为远祖,大力扶持楼观道教,改楼观为宗圣观,将楼观看作李氏宗门圣地,因敕令扩建庙宇,并自此宣布三教以道儒释为序。金末,楼观庙宇毁灭殆尽,楼观道教逐渐走向衰微。元丙申年(1236年),丘长春弟子尹志平立志复修楼观。经过十年殚心竭力,楼观始得修葺,渐复原貌。修复后的楼观面貌一新,金碧溢目,为终南更添几分秀美。自此以后,楼观世居全真派道士,成为全真道宫观。1260年,朝廷命升"观"为"宫",仍延"宗圣"之名。主要建筑有三清,供奉关尹的文始等祖殿,又有紫云衍庆楼、景阳楼、宝章楼等几十处亭台楼阁,宗圣宫成为古楼观的中心。后受洪水的侵袭,又几遭兵灾之祸,虽然屡毁屡修,但已然衰落。到了清代,宗圣宫仅存残迹,已无法修复。但老子说经台却完好地保存下来,楼观中心便由宗圣宫转移到说经台。清末以后,统言古楼观和老子说经台为楼观台。

说经台建在终南山麓一突起的峰顶,大川横展,万峰相拥,古殿隐匿在树杪之中。顺说经台山门,有石阶盘道通至台顶。山门两旁,钟、鼓二楼相对。进山门,有四个主要殿堂即老子祠、斗姥殿、救苦殿和灵宫殿,并有太白、四圣二配殿。

出说经台北二里余,是宗圣宫的遗址。宗圣宫系唐代建筑,原本殿宇轩昂,宏伟异常。可惜屡遭毁坏,现已荡然无存。遗址处尚存几株千年古柏。在遗址偏东处,有一棵相传是老子拴过青牛的系牛柏,历时两千余年,苍劲依存。

5.正一宗坛——龙虎山天师府

龙虎山位于江西省贵溪县西南,按照宋元以后道教的说法,龙虎山是正一天师道的祖师玄坛,代传汉天师张陵之教法,掌其教者世袭天师名号,称“嗣汉天师道”。元以后掌理正一派三山符箓,所以又称作“正一宗坛”。因为是祖天师玄坛,所以便有了相应的传说。据说,祖天师张陵遍历名山,寻访修道胜境,抵鄱阳湖时,得仙鹤南飞为导引,因追寻其踪,最终驻足龙虎山,大爱其山色之秀丽,清溪之碧澄。龙虎山之得名也与张陵相关联。说是张陵在此山中修炼九天神丹,丹成而龙虎现,因改旧名云锦山为龙虎山,即今山内山外诸名胜,仍多与张陵传说有关。也有人说因山状若龙盘虎踞而得名,道教以龙虎喻炼丹铅汞,所以又有龙虎现真形而神丹成就的传说。后来,张陵西行蜀中传衍其教法,创五斗米道。到第四代天师张盛时,复遵其父张鲁遗嘱,携祖传掌教印剑自汉中迁回“龙虎山祖师玄坛”,大开坛场,传道布教,其子孙世代居于此,是为正一天师道祖师宗坛。

唐初期龙虎山已是道教的一个重要活动点,及晚唐五代时,龙虎山天师道渐兴。南唐保大(943—957年)年间,始于龙虎山建新天师庙,供奉天师张陵及其弟子王长、赵升二真人,龙虎山作为天师道之祖师宗坛,从此具有跨越朝代的凝聚力。宋元时,因张继先、张嗣成等人的相继弘扬,龙虎山嗣汉天师道逐渐发展为统一南方各地道教的大宗派,天师庙也于宋徽宗崇宁(1102—1106年)年间得赐庙额为“演法观”,并敕营修其道宇。元初道士张留孙备受元世祖忽必烈赏识,历四朝尊宠,累封玄教宗师、玄教大宗师、大真人等名号。在南北各地营建或修复了大量道观,且皆尊龙虎山为祖坛。元代南方形成以龙虎山为宗坛的正一道,与北方全真道相峙为迄今道教两大派别,实主要得力于张留孙以降“玄教大宗师”一系。而随着玄教大宗师一系对嗣汉天师道在各地的传播,龙虎山祖师宗坛的地位也就日益突出。

明朝统治者多尊崇嗣汉天师道,嗣汉天师中也出现了张宇初等很有学问声望的人物,为道门领袖,龙虎山作为正一派宗坛的地位更加巩固,其道观也得到大规模营修。但延及抗战后期,全部建筑焚毁于火灾,现在只剩下残垣断壁。

自龙虎山东行十余里,有“嗣汉天师府”坐落于上清古镇。天师府始建于北宋崇宁二年(1105年),乃历代天师起居之所,旧时被誉为“南国第一家”,是罕见的世家大府第。天师府的建筑布局,以三省堂为中心,府门、万法宗坛等环绕之。

历代天师供奉诸神灵,则有“万法宗坛”,旧时万法宗坛中塑有天兵天将一百三十八尊,现时奉三清、四御、三官及第一代天师张陵、第三十代天师张继先、第四十三代天师张宇初。左右两侧有配殿,东奉护法王灵官,西供财神赵玄坛。天师府现为全国重点道教宫观,近年进行了修复。

6.全真道祖庭——永乐宫和重阳宫

道教全真派有三大祖庭:北京白云观是丘处机藏蜕之所,为全真龙门派祖庭;陕西终南山的大重阳万寿宫,是全真派创始人王重阳的旧庵,死后弟子护送遗柩葬于故址,为全真道派的祖庭;而永乐宫相传是吕洞宾的故居,吕洞宾又被全真道派推为北五祖之一,所以永乐宫也被尊为祖庭。

永乐宫的旧址,在山西黄城县永乐镇招贤里,据说是吕洞宾的故宅。乡人慕其德,感其恩,便在吕洞宾的故宅修一吕公祠祀奉他。

吕公祠在金代末年改祠为观,却又毁于大火。元世祖中统三年(1262年)重建,升观为宫,为“大纯阳万寿宫”,后改名“永乐宫”。由当时著名的全真派道士宋德方住持,永乐宫便成为全真派的大丛林。明清时仅存三个殿堂。1959年保存下来的永乐宫建筑壁画,依原样迁址于芮城县龙泉村。

永乐宫是全真派“三大祖庭”之一。全真派本创始于金代王重阳,倡导道、儒、释三教合流,在宗教修持上,则以修养心性和修炼内丹为主。由于北宋以降,吕洞宾的神仙信仰便十分盛行,所以全真道派借助其社会基础以传播教法,说王重阳在甘河镇屡遇吕洞宾,得吕洞宾传授道法丹诀,这便是全真道的“甘水仙源”。又说全真道有北五祖,即东华帝君王玄甫、钟离权、吕洞宾、刘操、王重阳,于是全真道派便有了极深的渊源。因为吕洞宾的神仙信仰有广泛影响,所以在北五祖中,全真教徒特别推崇吕洞宾。在全真派的道观里,大都有吕祖殿或祠,供奉吕洞宾。金元以后,全真道派影响日著,相传为吕洞宾故居的永乐宫,也自然成为全真派的“祖庭”,所谓“祖庭”意即祖师的庙堂。

永乐宫不仅以全真道派的“祖庭”久负盛名,还因为它是道教壁画的艺术宝库,这是永乐宫的一大特色。永乐宫的壁画都是元代作品,有壁绘天神像三百六十整,丹青涂抹,金彩粉饰,人物形象栩栩如生,精美异常,具有十分良好的视角效果。永乐宫的壁画无论从构图、著色、传神等角度看,都是不可多得的艺术珍品,代表了道教壁画艺术的较高成就。

重阳宫在陕西省周至县,是道教全真派的祖庭,又称“祖庵”。全真教祖师王重阳始于此隐修,金世宗大定丁亥年(1167年),他自焚其居,东行至山东宁海,得丘、刘、谭、马诸弟子,创全真道教。王重阳卒后,弟子护送其遗骨葬于旧居。弟子王处一因上奏请于其址建“灵虚观”,丘处机又请改为“重阳宫”。元世祖至元二年乃更名为“重阳万寿宫”。重阳宫在元代的北方道教中影响很大,居全真道三大祖庭之首,全真道徒往往云集于此,最盛时近万人,殿阁房舍凡五千余间。有碑林遗世,称“祖庵碑林”。

7.全真道第一丛林——北京白云观

北京白云观的前身是唐玄宗时建造的玄元皇帝庙。后改为“天长观”。天长观屡毁屡建,最终沿革为今日坐落北京城西南隅的白云观。白云观至今仍珍藏有唐刻玉石老子像。

天长观在金世宗大定十四年(1174年)曾完成一次大规模扩建,准额"十方大天长观",成为当时北方最大的丛林制道观,并由单独供奉老子发展为奉祀三清、玉皇等。

金世宗时,陕西咸阳人王重阳创立全真教。全真教之得以大倡,且与继承道教传统的南方正一道并列为两大道派,离不开丘处机弘扬之功。丘处机为全真龙门派祖师,在他晚年居止天长观的时候,全真教大得发展,天长观也因之成为全真道首府。丘处机卒后葬骨天长观东侧白云观,白云观遂为全真龙门派祖庭。

明皇朝尊重南方正一道,白云观曾一时衰落。清初山西人王常月来居白云观,并公开传戒,受戒的龙门派弟子得其教法广传于各地道观,即今全真教徒,绝大多数仍属龙门派,白云观也就被称为全真道"第一丛林"。

白云观现存建筑系清康熙四十五年(1706年)重修,有彩绘牌楼、三门、灵官殿、玉皇堂、老律堂(七真殿)、丘祖殿和三清四御殿,东西两院另有吕祖殿、元君殿、元辰殿等。新中国成立后曾对白云观进行多次整修。1957年中国道教协会成立,会址设在白云观。白云观也是北京市的一处名胜,每年春节期间及丘处机诞辰,观中都要举行庙会和醮事,参访者熙来攘往。

8.五岳名山的道教宫观

山岳崇拜在中国由来已久,特别是五岳的崇拜。五岳是指东岳泰山、西岳华山、中岳嵩山、南岳衡山、北岳恒山。

嵩山在河南省登封县境内,古称太室或天室,是我国著名的五岳之中岳。山势巍峨峭拔,为天下群山之雄长。嵩山分东西两支,东为太室山,西为少室山,蜿蜒悠长百余里。两山各有三十六峰,山峦起伏,峰峦叠嶂,雄姿巍峨,成为历代仙羽栖身修炼之所。因而这里留下许多典故、圣迹。嵩山风景独特,道观甚多,不乏圣迹。登封县城东北五里的崇福宫,相传是汉武帝创建,原名万岁观,唐时改称太乙观,宋代道教复兴,升观为宫,改名崇福。宫内有启母殿,供奉夏后启之母。中岳庙在嵩山东麓,原名"太室祠",占地十万平方米。中轴线殿宇十一进:中华门、遥参亭、天中阁,配天作镇坊,崇圣门、化三门、峻极门、嵩高峻极坊、中岳大殿、寝殿、御书楼。这些为清代宫殿式建筑。始建于秦,历代有所增补,宋末到清初几次毁于大火,清乾隆年间进行一次大的修整,现仍保留宏大的规模。庙内有殿宫楼阁、亭台廊庑,门坊四百余间;古柏三百余株,千奇百状,各俱神态,还有石碑、钟鼎、铁人等文物。

东岳泰山地居山东中部,气势磅礴,拔地接天,号称天下群岳之长,自古被人们看作人与天神相沟通之地。自古以来泰山就是儒释道繁盛之区,故被列为道教三十六洞天的第二洞天,名曰莲玄洞天。存留至今的泰山道教祠庙,最负盛名的当属供奉东岳大帝(即泰山神主)的岱庙和碧霞元君祠。两座神祠一在山麓,一在山巅,两位神灵则一主死一主生。

岱庙供奉泰山神主东岳大帝,是宋真宗大中祥符(1008—1016年)年间在汉唐旧址的基础上大规模扩建的。其主体建筑天贶殿,内祀东岳大帝。天贶殿与曲阜孔府大成殿、北京故宫太和殿,同为我国古代三大著名的宫殿式建筑。殿内墙东、西、北三面,绘有壁画,即著名的泰山神启跸回銮图,壁画内容为泰山神出巡及回銮始末,有姿态各异的各色人物657个,构图疏密相间,人物与景物浑然相宜,多而不乱,生动逼真,具有很高的艺术价值。

除岱庙外,宋元时还在泰山岱宗坊东建有酆都庙,主祀酆都大帝,配以十殿阎罗王。又建有蒿里山祠,塑置阴曹地府七十五司。

泰山岱顶碧霞祠供奉的碧霞元君,则是驻足泰山的一位仁善慈爱的道教女神。碧霞祠建于东岳泰山之巅,侧倚玉皇顶下,是碧霞元君的上庙,始建于宋。

华山地处秦岭东段,为我国著名的五岳之西岳。华山的玄妙幽邃吸引着逸人幽客、方外羽流于此栖真养性,修道体玄。如秦时的茅蒙、北魏新天师道的创始人寇谦之、北周的道士焦旷、道教学者韦处玄等,他们在华山修炼隐居、著书立说,对当时的道教界产生了很大影响。唐代是道教的鼎盛时期,唐高祖、唐太宗都曾到华山拜岳。金仙公主曾在华山修道,玄宗为她修建了仙姑观和白云宫。五代时道教学者陈抟居华山约四十余年，写成《指玄篇》、《无极图》、《先天图》等著作，其思想对后来的道教有很大影响，被道教奉为“老华山派”的祖师，至今华山还留有有关他的遗迹。

金元时，全真道派兴起，华山即是全真道场。王重阳的弟子王处一、郝大通、谭处端等，都在华山长期居住。王处一撰写《华山志》一卷，开创全真嵛山派。郝大通开创华山派，此后世代相传。明代，朝廷设宫，专司道教事务，广建宫观，开凿石洞，修建登山通路。

华山奇险，不可名状，故而道教建筑也别具风姿。或借峭壁之险，或假狭隙之奇，与自然景物浑然一体，毫无斧凿之感。现保存下来的有东道院、群仙观、王母宫、镇岳宫、玉女祠翠云宫、西岳庙、玉泉院等。其中玉泉院、东道院和镇岳宫已列为全国重点道教宫观。

北岳恒山又名“太恒山”、“元岳”、“常山”，位于山西省浑源县城南。道教称此山为第五小洞天。山上怪石争奇，古树参天，留有不少道家遗迹和传说。古有道观庙宇 18 座，称为 18 胜景。今尚存有朝殿、会仙府、九天宫、悬空寺等十多处。朝殿，又称北岳庙，坐落于主峰之下，规模宏大，是一座巍峨壮丽的宫殿。山门两旁，有青龙、白虎二殿。殿前碑石林立，记载着北岳久远的历史。另外，果老岭也是道教传说色彩颇浓的胜迹之一。在一块光滑的陡石坡上，有几个非常明显的酷似驴蹄印和人脚印，传说是张果老骑毛驴由此登天时留下的。

南岳衡山又名“岣嵝山”、“虎山”，在湖南衡山县境内。

道教称为第三小洞天。山上文物古迹、历代碑石很多,是佛道两教名山。现存道教建筑有南岳大庙、黄庭观、祝融峰顶的老圣殿及峰下玄都观等。南岳庙位于衡山脚下,规模宏大,始建于唐开元十三年(725 年),以后经历代重建和扩建,至今已有 1200 多年的历史。现存建筑系清代光绪八年(1882 年)重修,包括正殿、寝宫、御书楼、盘龙亭等建筑。整个庙宇有九进,前后深 300 米,大门上写有“天下南岳”四个大字。正殿高 22 米,殿内有 72 根石柱,象征衡山 72 峰。正殿中央供奉“南岳司天昭圣帝”,即祝融神君。

9.青城武当罗浮崂山的道观

青城山在四川省灌县,道教目之为十洞天的第五洞天,号曰“九仙宝室之天”。自古以来就有不少羽客逸士来此结庐隐居,青城山是道教的发源地之一,青城山道教兴旺发达,历代不衰,于今仍留下许多名胜古迹。旧说青城山有三十六峰,七十二洞,一百单八处胜境。及今山中道观,有建福宫、祖师殿、朝阳洞、上清宫、天师洞、圆明宫、玉清宫等,建筑多得以保存。其中尤以天师洞为最著。

天师洞居青城山中心,是联络上下左右道观的枢轴,由相传为张陵居住过的洞屋、古黄帝祠和古常道观三层殿宇组成。隋称延庆观,唐名常道观,宋改昭庆观。观前台阶陡起,有幽径通天之象,入观中而俯视,则顿生凌空御虚之感。观中观侧漫步,最能体会到“青城天下幽”的情致。

如果说青城山道观的一大特色是以楹联石刻反映了道教文化,那么古常道观就是这一特色的集中体现。那是一座常年开放的道教艺术展览馆。楹联石刻之丰富,文辞之优美,书法之神妙,道理之深邃,当居道观之冠。

建福宫,始建于唐代,原名丈人观,宋代改为建福宫。现存建筑为清光绪十四年(1888 年)重建。宫内正殿供奉宁封、杜光庭两尊泥塑彩像。祖师殿,始建于晋代,原名洞石观,宋改清都观,也称储福观、真武宫,现有殿宇是清代所建,殿内有八仙壁画和诗文刻石,供奉泰山神东岳大帝,真武帝君和铁拐李、吕纯阳、张三丰等祖师神像。上清宫,始建于晋,屡建屡毁,现存殿宇为清代同治年间所建,大殿祀老君像。宫前山岩上有清代黄云鹄所书“天下第五名山”、“青城第一峰”等摩崖石刻。

武当山原名太和山,在湖北省均县南,地处大巴山北脉,根据道教的说法,诸山皆有神真主治,而雄峻的太和山则非玄武神不足以当之,于是更名武当山。武当山不仅是著名的自然风景区,而且还是道教的武林圣地。

古往今来,无数逸人羽士来此隐居修真。武当山道教的发展,在明代为鼎盛。燕王朱棣(明成祖)借助真武神的神威,夺得天子之位,故即位后为了酬报真武神“阴诩默赞”,乃于武当大修道观。明成祖在武当建宫观的结果,使武当山“十里一庵十里宫,丹墙翠瓦望玲珑”。从永乐十一年到十六年,在武当山兴建或重建的,有金殿及紫禁城,又有太和宫,紫霄宫、南岩宫、五龙宫、五虚宫、遇真宫、净乐宫、复真观、元和观,后又兴建迎恩宫,另外建有三十六庵堂、七十二岩庙,十二亭、三十九桥。这些建筑多依山傍势,布局雄伟,气宇轩昂,显露出武林圣地的巍峨。现在留存下来的宫观主要有太和宫、紫霄宫、南岩宫、遇真宫、磨针井和玄武门等,其中太和宫和紫霄宫已被列为全国重点道教宫观。

太和宫,全称"太岳太和宫",明永乐十四年修建。太和宫共有建筑 511 间,正殿为太和殿,祀奉真武大帝坐像。殿外有祭祀铜像,左右有钟鼓二楼,悬永乐十四年铸的铜钟。紫霄宫,全称"太元紫霄宫",是武当山保存比较完整的古建筑之一,建于永乐十一年。紫霄宫中路有龙虎殿、十方堂、紫霄殿及父母殿四层,西路为西宫,东路为东宫。龙虎殿内奉青龙、虎像。紫霄大殿为正殿,奉身披龙袍,踏云履靴,手捧宝剑的真武塑像,另有分别代表真武老中青不同时代的三尊塑像和一真武身像。殿内保存有明代正统年间手抄金字经,为国内罕见之宝,正殿后为父母殿,奉真武父母像。

罗浮山地跨广东省博罗、河源、增城三县,前望南海,后顾韶关,纵横广袤达五百里,四百三十二峰林立,九百八十挂飞瀑悬泻,石室幽岩隐遁山中,道教列之为十大洞天之第七天,号曰"朱明辉真之洞天",第三十四泉源福地。山中有冲虚、白鹤、黄龙、九天、酥醪五道观。坐落于南麓的冲虚古观,相传为葛洪夫妇隐修炼丹处。东晋成帝咸和(326—334 年)年间,葛洪来此结庐以居,采药烧丹。后人先于其居处建南庵都虚观,其后因来学者日众,乃增建东庵九天观、西庵黄龙观、北庵酥醪观。

罗浮山始建道教祠庙,在葛洪卒后,晋安帝义熙初(405年),山中创建洪祠以祀之,唐玄宗天宝年间扩建,名“葛仙祠”,并给十家供奉守祠。宋哲宗元祐二年(1087年)再次扩建,改额“冲虚观”。清同治年间重修,基本建筑格局保存至今。存于冲虚观的古迹,多与葛洪有关,最著名的是“葛洪丹灶”,高三点六米,底座边长二点二五米,丹灶顶为“未济炉”,三足,状若葫芦,中间有机栝,可转动。又有葛洪“洗药池”,据传是葛洪清洗药物的地方;葛洪炼丹则取水于“长生井”,井水甘美,终年不竭。

崂山,在很古远的时候,这里便传说有神洲仙岛,岛上有仙子神人。崂山古属齐国,处蓬莱神仙境界的中心地带,战国的齐燕方士,曾把崂山誉为“神窟仙宅”。自秦汉以降,历代都有方外逸人,羽士幽客出入齐东,崂山是他们活动的热点之一,传说得多了久了,访仙踪、寻丹药的人来得频繁了,仙道在这里便有很深的群众信仰的基础,群众信仰当然是酿造新道派的肥沃土壤。金末陕西咸阳人王重阳欲创一门自全性命于乱世的宗教,在他的故乡传教不开,却在崂山脚下的昆嵛等地区大得信众,全真教自此大开门户,这与齐东的仙话传说以及与之相应的群众信仰基础,不能说没有关系。在崂山方圆百十里的地方,道教宫观庵亭星罗棋布,旧时因有“九宫八观七十二庵”的说法。

崂山道教宫观，大多数始建于宋元时期，如神清宫、太平宫、上清宫等建于宋，遇真宫、华楼宫等创建于元。在现存的崂山道观中，渊源最早、影响最大的是太清宫。太清宫俗称下清宫，坐落在崂山老君峰下，负山而襟海。宫中古木参天，林荫蔽日。金元时期，全真七子之一刘处玄来居太清宫，开创全真道随山派，太清宫因而成为随山派的祖庭。

太清宫现为全国重点道教宫观之一，主要建筑有三皇殿、三清殿、三官殿、西王母殿，又有东华殿供奉东华帝君、救苦殿供奉吕洞宾。

信仰与文化

1.道教的三清尊神

三清即玉清元始天尊、上清灵宝天尊、太清道德天尊，为道教所崇奉的最高神。

晋葛洪《枕中记》中，有大罗天上三宫的说法，梁陶弘景《真灵位业图》继其说，以虚皇道君应号元始天尊，列玉清第一中位。《道藏》列《元始无量度人上品妙经》于首，历记天尊为说是经，开辟天地万灵之迹。今道观中皆供奉三清神像，元始居中，以二指捏一圆球，以象混沌未分之状，是所谓太元之先，万物元始。

上清灵宝天尊次之，《真灵位业图》第二中位列“上清高圣太上玉晨元皇大道君”，以为万道之主。灵宝天尊在唐宋及前时称太上大道君或太上道君。

太清道德天尊，由神化道家人物老子而来。五斗米道遂以老子为教祖，是即“太上老君”。此后道教多以老子为教祖，唐时道教因老子而荣显，老子神位定于一尊，老君在神仙世界中的地位遂不可动摇。宋以后民间虽以玉皇大帝与老君争权威、尊位,但在道教中,老君位于玉皇之上。即今道观建置,三清殿阁必在四御之上。

2.道教神仙信仰的由来

道教教义的另一主要来源,是“神仙家”的信仰和方术。神仙家也是春秋战国时期的诸子百家之一,最初由燕齐沿海地区的某些方术之士创立。据《史记·封禅书》记载:齐威王、宣王之时(公元前356-301年),齐国有驺衍等人宣扬“终始五德”之说,而燕国方士宋毋忌、正伯侨、充尚、羡门高等人“为方仙道,形解销化,依于鬼神之事。”这些燕齐方士宣称:渤海上有蓬莱、方丈、瀛洲三座神山,山上禽兽皆为白色,以黄金白银为宫阙,有诸仙人及不死之药。凡人未至三神山时,远望之如云;将要临近时,三神山反居水下,或被风吹引而去,终莫能至。这里所谓的“三神山”,其实只是渤海中常见的海市蜃楼景象。方士们却借此鼓吹去海上寻仙采药,以求长生不死。齐威王、宣王和燕昭王听信谣传,都曾派人下海寻找三神山和神药,未能成功。然而神仙之说自此兴盛起来。

在南方的楚国,也有关于神仙的传说。《庄子》书中有许多关于“神人”、“至人”、“真人”的动人描述。如《逍遥游篇》称:“藐姑射之山,有神人居焉,肌肤若冰雪,绰约若处子,不食五谷,吸风餐露,乘云气,御飞龙,而游乎四海之外。”庄子不仅描绘了神仙、真人自由遨游的形象,而且还记载了彭祖等古代真人修炼成仙的方术。此外,在《山海经》这部古代著名的神话书中,也提到不死国、不死山、不死树和不死药。据说西方有昆仑山,山人有神人西王母,其状如人,虎齿豹尾。后来昆仑山遂成为神仙家经常提到的仙境,与东方海上的三神山齐名。

总之,关于神仙的传说在春秋战国时代已流行于东方沿海及南方广大地区。神仙家的基本信仰是相信世上有长生不死、自由变化的神仙存在,幻想通过寻仙服药或锻炼保养身体等方术修炼而达到长生不死、飞升成仙的目的。秦汉以来,神仙方术由于秦始皇、汉武帝等最高统治者的提倡,在社会上大为流行,并与黄老道家思想合流。当东汉道教形成后,全面继承了神仙家的思想及其成仙方术,并不断加以补充发展。于是追求长生不死、修仙得道便成为道教的根本信仰和最高目标,这也是道教与追求死后幸福的佛教、基督教相区别的明显特征,所以道教也常被称为“仙道”。

3.玉皇信仰的来历

农历正月九日,是玉皇大帝的生日,道观中依例要举行庆典,士庶之家去玉皇殿献供的当然也就特别地殷勤。这天的活动,俗称斋天,民间和道观都是十分重视的。

说到玉皇大帝,民间莫不将他看成天上的“皇帝”,万神世界的最高统治者,神仙佛祖一律都需要听命于他。实际上,就道教的神仙谱系来说,玉皇的地位低于三清。其实,玉皇大帝这一至上神的形象,是宋真宗的崇道活动的副产品。中国传统的观念中,至上神称为帝、上帝,亦称为天,在儒家祀典中又作是昊天上帝。对他的座次安排,宋以前的道教中是很忽略的。宋真宗为了宣布自己的祖先赵元郎是道教的尊神之一,便借着玉皇的名义扮演了一场“天书”下降的闹剧。为了尊祖(实在是生造出来的)也连带着尊玉皇,上尊号为“太上开天执符御历合真体道玉皇大天帝。”这是玉皇大帝崇拜普及的开始,不过玉帝在道教内部仍是只听命于三清的。《高上玉皇本行集经》叙述玉皇的来历说,太上道君(三清的第二位)将一位“身诸毛孔放百仪光”的婴儿送往光严妙国的宝月光皇后怀胎,产下皇太子,修道经亿劫,才证位玉帝。然而,民间对玉皇大帝和三清的关系并不怎么了然,凭着生活经验,地上的最高统治者是皇帝,佛教、道教的领袖哪怕封了国师、天师,也还得听命于皇帝,所以在民众心目中,在神仙包括佛菩萨的世界中“最大”的是玉皇大帝,所以对他的祭祀要用最高规格了。

民间传说,玉皇大帝每逢十二月的二十五日要巡行三界。到了这一日民间又多设香案,摆供品接玉皇。这一活动,也有称为“斋天”的。

4.东王公与西王母信仰的来历

东王公亦名木公、扶桑大帝、东华帝君,与西王母共为道教的尊神。东王公的信仰最初可能来源于古代的太阳神崇拜,战国楚地信仰东皇太一神,又称东君,即为人神化了的太阳神,或许是东王公的前身。但东王公一词的出现,最早见于《枕中书》:“书为扶桑大帝东王公,号曰元阳父扶桑大帝,住在碧海之中。”这说明它是由日神演变来的。

东王公的形象经过民间的流传和增饰,具有了名号、服饰、婚配、职掌等,成为一个活生生的神仙。《神异经·东荒经》中描绘东王公的形象是:“东荒山中有大石室,东王公居焉。长一丈,头发皓白,人形鸟面而虎尾,载一黑熊。左右顾望,恒与一玉女投壶。”至唐代,东王公已有了姓名,“东王公讳倪,字君明。天下未有人民时,秩二万六千石。”

东王公主阳和之气,天下男子登仙得道者,悉为所掌。凡各级神仙得道登仙之日,先拜木公,后谒金母,受事既毕,方得升九天,入三清。

东王公的神话不断发展,后来竟传说他为元始天尊与太元圣母所生,受元始上帝符命,为东宫大帝扶桑大君东皇公,号曰元阳,或号东王公,或号青童君,或号东方诸,或号青提帝君。后来又尊之为“东华紫府少阳帝君”,所谓东华者,因其为东华至真之气化生而成,分治东极,居东华之上也。紫府者,职居紫府,统三十五司命,迁转洞虚官较品真仙也。阳者,主东方少阳九气,生化万物也。帝君者,位于东方诸天之尊,为万圣之君。因此,“东华紫府少阳帝君”的尊号基本上概括了东王公的方位、职掌和在群仙中的地位。

西王母又称瑶池金母、王母娘娘,在民间信仰中,是仅次于玉皇大帝的尊神。西王母的信仰由来已久,在《山海经·西山经》说，西王母住在玉山，“其状如人，豹尾虎齿，善啸，蓬发戴胜。”最初可能来源于某一部落的图腾崇拜，后来逐渐神化，在战国时已经成为人们心目中的得道神人，《庄子》书中称她得道后“莫知其始，莫知其终”，也就是长生不死的仙人了。在西汉，由于神仙之说的流行，西王母成为人们膜拜的重要女神，所谓“揖金母，拜木公”，西王母与东王公一起是登仙得道者必须拜奉的神灵。在《汉武帝内传》里，西王母被形容为艳压群芳、侍仙如云、武帝拜受教命的威严女神。后来在道教的神仙谱系中，西王母俨然成为女仙之王，唐末五代的杜光庭写了一部《墉城集仙录》，专门收集女仙的事迹，女仙们要去朝拜的金墉城正是西王母的住处。西王母是由西华至妙之气幻化而成，其仙号叫做“九灵太妙龟山金母”。其神殿称为王母宫，或称王母阁，也和道教的其他神殿一样遍于天下。后来随着道教神话的不断发展，王母娘娘变成玉皇大帝的配偶，是人们信仰中地位最高的女神。

5.真武信仰的源流

真武，即玄武，民间俗称为真武大帝、荡魔天尊，道教尊奉的大神之一。明朝以后在全国有极大的影响，近代以来南方民间信仰尤甚。

玄武神的起源与古代的星辰崇拜有关。我国古代把天上的恒星分为二十八群，称为二十八宿，根据其出没的中天时刻以定四时。战国以后，逐渐把二十八宿分为四组，分别以四灵来命名,即东方青龙,南方朱雀,西方白虎,北方玄武。玄武即龟蛇,因北方七宿的星形似龟蛇,故名。

道教产生以后,吸收了民间的玄武信仰,并进一步将玄武神人格化,促进了玄武信仰的兴盛。唐代尊崇道教,出现专门祭祀玄武的宫观,而玄武的煊赫,则始于宋代。北宋为了避宋真宗讳,改玄武为真武。从此,玄武之名不显。宋真宗时,真武加号为"镇天真武灵应佑圣真君。"真武信仰盛行,真武神在道教众神中的地位提高。真武神在北宋的形象仍是龟蛇,到南宋时,真武神日益人格化。其形象多为仗剑大神,足踏龟蛇。至元代,真武又被晋升为元圣仁威玄天上帝。到明代,由于真武在开国过程中的灵应,统治者大力提倡,真武信仰迅速遍及全国,香火极盛,几乎成为仅次于三清、玉皇的大神。在明代御用的监、局、司、厂、库等衙门中,百分之百都建有真武庙,设玄帝像,其旁多塑龟蛇二物。由于真武的声威显赫,又是明朝的护国大神,关于玄武为龟蛇的原始传说自然有失身份。于是道教又另行编造了真武的身世,他们仿造佛经,说真武是净乐国王太子,由善胜皇后剖左肋而生,舍位遁入武当山修行,功成飞升,镇守北方,号曰玄武。或说真武是元始化身,或说是玉皇化身,或说是太始化身。总之,真武的身世地位高贵,那么,以前的龟蛇传说如何统一呢?于是道教称龟蛇乃六天魔王以坎离二气所化,被真武神力蹑于足下,成为其部将,后世称为龟蛇二将。所以真武庙中的真武大帝和龟蛇二将的形象,就是这样经过历代累积而成。

6.寿星崇拜的来历

寿星,古指二十八宿的东方角、亢二宿,因位于列宿之首,故名寿。寿星的另一含义指属于西宫的南极老人星。古代立祠奉祀的寿星是指南极老人星。古人将南极老人星与国家的命运联系起来,认为老人星“为人主占寿命延长之应。见,国长命,故谓之寿昌,天下安宁;不见,人主忧也。”所以,秦时有寿星祠,用以祈福延祚。后来,寿星被视为主人间寿夭之神,所以东汉时将祭祀老人星与敬老活动联系起来。《后汉书·礼仪志》载:“仲秋之月,年始七十者,授之以王杖,哺之糜粥。八十、九十,礼有加赐。王杖长九尺,端以鸠为饰。鸠者,不噎之鸟也,欲老人不噎。是月也,祀老人星于国都南郊老人庙。”

秦汉以来,历代王朝都将祭祀老人星列入国家祀典,至明代始罢。但唐宋时已经不知寿星原始意义了,认为寿星就是指角亢二宿与老人星,故将二者合在一起祭祀。

近代民间崇拜的寿星形象是一白发老翁,拄一弯弯曲曲的长拐杖,高脑门,头特长。这种形象是怎么来的呢?白发老翁盖因其为寿星而想象出来的,长拐杖可能始于后汉时对老人赐以王杖长九尺的传统。至于高额长头,《通俗编》有一种说法:“世俗画寿星像,头每甚长。据《南史·夷貊传》,毗骞王身长丈二,头长三尺,自古不死,号长颈王。画家意或因乎此。然则所画乃毗骞王,非寿星矣。”

7.太岁信仰的来历

俗话说:“谁敢在太岁头上动土?”太岁是中国民间信仰中有名的凶神,平时对于难惹的人,也称他太岁,对于长相凶恶的人,也说他像太岁一般。那么,太岁究竟是什么?

太岁与古代的星体崇拜有直接关系,中国古代有两种观测星体以制定历法的方法,一种是把天空按岁星的视运动路径自北向西、向南、向东(即所谓右旋)划分为十二段,叫十二次。岁星每运行一次,便代表一年。这种观测方法后来也用于二十四节气和十二月的划分。另一种方法是把天空由北向东、向南向西(即左旋)依次划分为子、丑、寅、卯、辰、巳、午、未、申、酉、戌、亥十二个区域,叫十二辰。这种方法后来主要用来记录一天之内的十二个时辰,和一年间恒星的方位变化,特别是北斗的回转。这两种观测方法各有其用途,而它们对天空的划分除了方向相反,名称不同,其实是一样的,自战国以来,人们就设法加以协调,最简便的一个方法就是假想有一个和岁星运行速度相同、方向相反的太岁(也叫岁阴、太阴),按十二辰的方向运行,每年进入一辰。由于岁星是天上的实体,太岁却无可捉摸,实际上是人们为记时的需要而想象出来的,于是就说它“左行于地”,即在地下与天上的岁星作相对运动,太岁的观念就是这样产生的。

太岁虽不是星体,但它受到了与其他星体类似的神化和崇拜。最迟从西汉开始,人们已经认为太岁每年所行经的方位,与动土兴建、迁徙、嫁娶的禁忌有关。这种迷信在民间一直流行,至近代仍盛行不衰。民间还传说,如在太岁方位动土,就会挖到一个会动的肉块,这就是太岁的化身,动土者就得全家遭殃,这就是“不得在太岁头上动土”典故的由来。史籍中有很多这样的故事。

太岁信仰本来流行于民间,不列国家祀典,但自元明以来,太岁信仰又得到了最高统治者的承认,设专坛祭祀。而太岁的职掌,亦稍有变化,除了土木工程的方位禁忌外,又视它为“主宰一岁之尊神”,常与月将、日直之神并祭。民间传说及小说中则将它变为人格化之神。如《封神演义》以殷纣王太子殷郊为值年太岁之神,管当年之休咎,杨任为甲子太岁正神,察人间过往愆由。至于《三教源流搜神大全》则将殷郊与民间传说中的肉块统一起来,说殷郊诞生时,即裹于肉团之中,后被封为地司九天游奕使、至德太岁、杀伐威权殷元帅。

8.雷神电母信仰的来历

雷声隆隆,电光闪闪,这种自然现象具有神秘的威力,中国古代人们对此感到迷惑不解,并且充满恐惧,于是创造了雷电神迷信的内容,并塑造了雷电神的形象。对雷神电母的神性和形象的塑造,在历史上经历了一系列复杂的发展过程。

最初的雷神形象是一种兽形,《山海经 · 海内东经》载:“雷泽中有雷神,龙身而人头,鼓其腹。在吴西。”战国以后,雷与风、雨等神常被称为“师”,这是雷神的人格化,而且雷师还娶妻生子,亲族甚众。《稽神录》中载一女"为雷师所娶,将至一石室中,亲族甚众,婚姻之礼,一同人间。"

在民间对雷神最普遍的称呼是雷公,雷公的形象多是兽形或半兽形,或谓像猪,或谓像鬼,或谓像猴。从春秋战国以来,人们给雷公加上了许多社会职能,认为它能代天执行刑罚,击杀有罪之人,希望它能主持人间正义,所以在民间,雷神并不是一个可怕的形象。《神仙感遇传》记载了这样一个故事:雷公为树枝所夹,奋飞不得,为叶迁韶劈开树枝相救,雷公为感谢之,送给他墨篆一卷,谓可以致雷雨,祛疾病,立功救人。叶迁韶自此行符致雨,颇有效验。

雷公本来只有一个,后来随着雷神的人格过程,人们逐渐认为雷公不只一个,或谓有兄弟五人。随着道教对民间的雷神信仰加以改造,雷神的社会职能日益增加,雷神不只一个,而是形成雷部众神体系,雷部的组织也日益复杂化,而且塑造了一个主管雷部诸神的大神号九天应元雷声普化天尊。在《历代神仙通鉴》里记载了雷部的组织体系。"(黄帝)封号为九天应元雷声普化真王。所居神霄玉府,在碧霄梵气之中,去雷城二千三百里。雷城高八十一丈,左有玉枢五雷使院,右有玉府五雷使院。真王之前有雷鼓三十六面,三十六神司之。凡行雷之时,真王亲挚本部雷鼓一下,即时雷公雷师兴发雷声也。雷公即入雷泽而为神者也。"这样一个有雷城、雷王、宫殿、雷鼓、雷神等组织齐全的雷部系统,可谓是登峰造极了。雷部诸神各书说法不一,或谓三十六神,或谓二十四天君,明代以后始形成较固定的雷部众神体系，如律令大神邓元帅、银牙耀目辛天君、飞捷报应张使者、左伐魔使苟元帅、右伐魔使毕元帅、火犀雷府朱天君、纠伐灵官王天君、黑虎大神刘元帅、魁神灵官马元帅、朗灵上将关元帅、雷公江使者、电母秀使者等。

电母又称闪电娘娘，是司闪电的女神，其起源稍晚。在早期的信仰中，雷公兼司雷电二职，后来分为雷公电父。但随着雷神的人格化，雷神的男性特征突出起来，与之相对应，电神很自然地演变成其配偶神，而称为电母了。民间所塑的电母形象是："其容如女，貌端雅，两手各执镜，号曰电母秀天君。"

9.碧霞元君信仰的来历

在山东泰安，对泰山老奶奶，可是无人不知，无人不敬仰的。据说，"泰山老奶奶"是有求必应，十分灵验的。这位泰山老奶奶，道教中称作碧霞元君，她的宫殿在泰山之巅，下皇顶的东下侧。

说起碧霞元君的来历，明代以来有许多文人加以考证，考来考去，不明不白的地方仍然很多。大致说来，她的出现是北宋的事，而鼎盛年代则要推到明朝时。传说宋真宗上泰山时，在玉女池中浮起一座石像，真宗封她为碧霞元君。元代出现的《新编连相搜神广记》中称她为金顶玉女娘娘，为东岳大帝的独生女儿。明嘉靖年间《重修（浚县）碧霞元君行宫记》记载，明朝皇帝赐其"普济护国庇民碧霞元君"的封号，其宫更名为“碧霞”,或者“碧霞元君”,称号由此而来。明《万历续道藏》收有一部分碧霞元君护国庇民普济保生纱经,大约是她在泰山上享受香火年深日久,在民间信仰中已产生广泛影响,所以道士造出一部经来讲说她的灵验,也确定了她在道教神殿中的正宗地位。那经中说她“神功莫测,浩德难量,专溥天民”,“保生益算,延嗣绵绵,消灾化难,度厄除愆,驱瘟摄毒,剪祟和冤”,所以企求解决逢灾染病、子息不蕃之类的实际问题而去烧香的也大有人在。山东一带的民间祭祀,泰山老奶奶占着绝对优势,民间传说中关于她的灵迹的神话也特别多。

明代碧霞元君祠建在北京宛平妙峰山,这山很快成为人们进香胜地。据《燕京几时记》说,碧霞元君庙建在妙峰山万山丛中,每年四月初一至月半香火极盛,在艰险山路上进香的从山下排到山巅,从白天到夜晚,“人无停趾,香无断烟”。上山的通途不止一条,总计香客有几十万人之多,尤其经北道上去的人最多,“夜间灯火之繁,灿如列宿”。端的是少有的壮观。

民国时期,妙峰山的香会仍然十分兴旺。

10.城隍信仰的风俗

城隍原是民间的神祀。据说安徽芜湖的城隍祠建于吴赤乌年间。南北朝时都有祀城隍的记录,到了唐代,城隍之设已很普遍。明代对城隍更为重视,城隍的“神通”也越来越大,“其神天地储精,山川钟秀,威灵显赫,圣道高明”,“有求必应,如影随形”,“代天理物”,“护国保邦”,“普救生民”。

城隍神大多是由在该地历史上有过功迹或有过重要影响的人担任的。比如,宋代镇江、庆元、宁国、太平、芜湖等地的城隍为汉将纪信。溧水城隍白李康,原是唐代该县的县令。明代南京城隍为文天祥,上海县为秦裕伯,前者为民族英雄,后者在元宋明初时为上海做过些好事。不过,据说城隍也如阳间的官吏一样,可以凭文章考取的。《聊斋志异》的第一篇就是考城隍。说是有一位叫宋寿的书生病中被吏人持牒请去赴考,主考官十余人,其中只认得有一位是关帝。因他文章写得好,被录取为河南某县的城隍。

城隍是阴间父母官,地方上对他便十分崇敬。为官的、为民的都有一系列表示虔敬奉事的习俗。明洪武时,规定新县官上任要去谒见城隍,那是因为阳官治人,阴官治鬼,阴阳调和,才能国泰民安,所以阳官到任后要与阴官通款洽。

至于民间对他的敬奉,以他的出会或出巡时充分地表现着。一般说来,遇他“出巡”的日子,都有隆重的礼仪。一般城隍神像坐花轿,由人抬着巡行街市,并有装扮的全副执事在前鸣锣开道,旌鼓前驱。烧香的、围观的总是填街塞巷,大多数地方还张灯结彩、搭台阁、舞狮子并通宵演戏以娱神。

正如阳间要赈济灾民平息一些社会冲突一样,阴间也照例有对孤魂野鬼的赈济。这项事务是该由城隍管的,所以每年都要抬出城隍老爷来“主持”祭厉。明代的祭厉一般设在春、秋、冬一年三次。上海县历来设厉坛于北门外,每年的清明、中元和十月初一都要将城隍老爷迎出来,临坛赈济孤魂,叫做三巡会。每逢这天城隍仪仗鲜明,随从众多围观的更是填街塞巷。居民捐助纸钱银锭,堆积如山,都在坛前焚给孤魂享用。这类活动,浙江金华称为城隍散粮。

11.土地公公的信仰风俗

《集说诠真》按:今之土地祠,几遍城乡镇市,其中塑像,或如鹤发鸡皮之老叟,或如苍髯赤面之武夫。问其所塑为谁,有答以不知为何许人者,有答以已故之正人某者,姓张姓李,或老或壮言人人殊,但俱称为土地公公。或祈年丰,或祷时雨,供香烛,焚楮帛,纷纷膜拜,必敬必诚。这段话反映了土地信仰在当时的普遍程度。所谓土地公公,就是土地神,亦即社神。

土地信仰是原始宗教中对自然崇拜的重要组成部分。古代人类祭祀地神,是崇拜它载万物、生养万物的功能。原始的土地神崇拜,有地区性、民族性的特征,"土地广博,不可遍敬,故封土为社而祀之"。统一王朝出现以后,就出现了国家以整个大地为对象的抽象化的地神崇拜,称之为后土、地祇,由皇帝专祀。而各诸侯国、大夫采邑、乡里村社则奉祀管理本地区的社神。这些社神不仅具有自然属性,而且带有社会职能,并且逐渐被人格化,成为管理某一地区的地方守护神。

早期被尊为土地神的人物有蒋子文,据说他是汉末的秣陵尉,逐贼至钟山受伤而死。三国吴时奉为钟山的土地神。又说由于南朝梁武帝的大臣沈约将自己父亲的墓地捐给了普静寺,所以寺僧们尊沈约为土地。后来尊为土地神的历史人物很多,所谓“又随所在,以人实之。如县治则祀萧何、曹参,翰林院及吏部祀唐韩愈,黟县县治大门内祀唐薛稷、宋鲜于先,常熟县学宫侧祀唐张旭,俱不知所自始。若临安太学祀岳飞,则因其故第也。”

土地本来遍及城乡,自唐朝崇奉城隍,城市中以供城隍为主,于是在城里土地的辖区缩小,成为城隍的下属神。土地信仰的盛行是在宋代,当时无论城乡、住宅、园林、寺庙、山岳都有土地,它们的辖区已有明确的划分,与城隍的关系也更加清楚。关于土地的神话传说很多,有的布衫草履,如田夫状;有的家室满堂。而且土地也如世间的官吏一样,需要更代轮换。土地的职能是造福一方的保护神,要为人们免灾去难,农民祈之风调雨顺,官人祈之官运亨通,如此等等。经过历代变迁,土地神在民间成为与普通百姓最接近、慈善可亲的形象。人们敬奉土地的礼节也不一律,而是根据当地条件而定。在乡野建成的土地庙,一般以石筑成,尺寸不等,最矮的不过一二尺,神也多以石凿成,俗语说:土地土地,住在石头屋里。可见,土地神不讲究华饰,是与民众最亲近的一个神。

12.财神信仰的由来

财神,本来是人们按照自己生活的追求,想象出来的职司之神。原先人们求神许愿,几乎都是为消灾纳福,财为福字题中应有之义。所以,开始并没有专职的财神。到了宋元之后,大约是商品经济有了较大的发展,人们对于财富的欲望变得强烈起来,慢慢地将求财的希望集中寄托在几位神道身上,便演变出了在天界理财的职司之神——财神。由于各地民间信仰不同,加上对财神的解释不一,于是便形成了不同的财神,而在实际的祭祀中,便不免张冠李戴,或干脆相互融混难以辨清了。《集说诠真》中说:"俗祀之财神,或称北郊祀之回人,或称汉人赵朗,或称元人何五路,或称陈人显希冯之五子,聚讼纷如,各从修好,式浑称曰财神,不究伊谁。"其中影响最大的大概是财神赵公明了。

赵公明在道教中原是冥神、瘟神,大约在宋之后,才被看作雷部神将。但为什么后来会被视为财神呢?看来,与道教中将他看作金气化身有关,据说:"按元帅乃皓廷霄度天彗觉昏梵气化生,其位在乾,金水合气之象也,其服色,头戴铁冠,手执铁鞭者,金遘水气也,面色黑而胡须者,北气也。跨虎者,金象也。故此水中金之义,体则为道,用则为法,法则非雷霆无以彰其威。太华西台其府,乃元帅之主掌,而帅以金轮称,亦西方金象也。"按这一金象,原是从五行之气的哲理上着眼的,并不仅指钱财。尽管他能使人"公平买卖,求财利,宜和合,但有至公至正之事,可以对神言者,祷之无不如意",但只是他神通中的一项,而且与许多其他的神是共通的。然而不管怎样说,民间偏向于以"金钱"理解他的金气之性,突出了求财得利,于是便将他当成了财神。而这么一来,他的神像所执的法宝稍有改变,而其部属完完全全改换一新。

原先道教中形容他是左手执二十四节铁鞭,右手执铁索——自然是捆绑妖鬼的厉害武器,成为财神后左手改执金元宝——那是财富的象征,祭他的主要目的就是羡慕着它。在道观中(除了专设的财神殿外)虽然还让他与王灵官等神将站在一起充当护法,那左手却捧着元宝。至于他右上方的那一金轮,则仍不可或缺,在民间的绘画中,他周围还有蝙蝠(福的象征)、聚宝盆等等,自然都是他职司中必用之物。赵公明的部属,有八王猛将、四方猛将、二十八将、六毒大神、五路大神、八猖大神等等一大群,这些神将都是擒妖捉怪的猛士。他成为财神后身边常随着的有招财使者、利市仙官,都是专理财运的总管。至于原来归属于他管辖的神将,都不知道被调往何处。明代《封神演义》的封神榜上给赵公明配了四位助手招宝天尊萧升,纳珍天尊曹宝,招财使者陈九公,利市仙官姚少司。想来即是根据明代民间神祀安排下座次的。

赵公明自从做了财神,在民间的知名度大大提高。他不仅在道观中接受万家香火,还进入家家户户在主人的厅堂里享受独家香火。他的生辰是农历三月十五日,这天是斋玄坛的日子,民间自然要恭敬致祭,商家将他的祭期放在正月初五。

13.门神信仰的由来

门神信仰在中国民间很普遍,它起源于原始的自然崇拜。但是门神究竟是什么样子,历史上众说纷纭。门神的一个职能是驱鬼辟邪,保障家庭平安。这种门神始于神荼、郁垒(或称作荼、郁律等)。神荼、郁垒是神话传说中的人物,据说他们是兄弟二人,住在度朔山上大桃树下,主管检阅百鬼,若有鬼妄为人害,则缚以苇索,执以食虎。所以人们于除夕时放置桃人、悬挂苇索,在门上画神荼、郁垒和虎的形象,用以辟鬼驱邪。这种风俗后来简化为悬桃符驱邪,守卫房门的责任唐以后逐渐移交给钟馗和武士门神。但宫廷、贵族家庭沿袭除夕悬挂神荼、郁垒的像的习俗,一直到清代。而民间的武士门神画像上,也常标有神荼、郁垒的名字,少数地区甚至不贴流行的门神肖像,而在门上书写神荼、郁垒的名字,即用以辟邪。

钟馗捉鬼的故事在中国民间非常流行,这个故事始于唐朝。据说唐玄宗有一次发脾寒,白天梦见一个大鬼,戴着破帽,穿着蓝袍,腰系长带,脚踏朝靴,在宫中捉小鬼吃。他自称是终南进士钟馗,因应考落第,触阶而死。玄宗醒来后,热就退了,于是下诏当时的画家吴道子,将钟馗像画出。从此,这个传说不胫而走,从宫廷到民间广为流传。自唐末以来,多于除夕夜悬钟馗像于门。

宋代以后,除了神荼、郁垒、钟馗之外,还常有画武士为门神者。武士带金甲,执金钺,冠带威严。但当时所画仅为武士,并未以人实之。元明以后,武士门神常常以古代的大将代之。这种门神有几种说法,如近代流传最广的秦琼、尉迟恭二位名将,据说唐太宗有疾,夜不能寐,觉门外鬼魅呼叫,于是让秦琼、尉迟恭立门侍卫,夜果无魅。太宗念其守夜辛苦,命画工图二人形象,介胄执戈,一如平时,悬于宫门,于是邪祟息灭。后世沿袭,遂永为门神。在苏州一带,流行以岳飞、温元帅为门神;在河南流行以赵云为门神。此外,有以赵公明、燃灯道人为门神者,有以孙膑、庞涓为门神者,这些多为小说中之人物,可见中国民间信仰的神,不少是小说塑造出来的。

随着社会的发展,门神的功能不仅是辟邪免灾,而且人们还希望从它们那里获得功名利禄,于是门神便有了祈福的功能。至迟在明代,武士门神像上已常添画"爵鹿蝠喜宝马瓶鞍,皆取美名,以迎祥祉"。于是民间逐渐形成以天官、状元、福禄寿星、和合、财神等为门神的风气。

14.八仙信仰的由来

八仙的故事在中国流传久远,影响广大,在古典文学、戏曲、绘画、雕塑作品中,都有八仙的形象。现在所说的八仙,是指张果老、韩湘子、蓝采和、何仙姑、李铁拐、钟离权、吕洞宾、曹国舅八位神仙,但八仙信仰并不是一开始就有的,而是在道教传播过程中,经过民间传说、文学创作的改造,把历史上一些互不相干的神仙拼凑在一起,从而逐渐形成八仙集团。

中国自古就有以八言事的传统,以八言仙始于唐代,唐人江炽有《八仙传》,杜甫诗中有"饮中八仙",则指八位诗人。五代时后蜀主孟昶曾得到道士张素卿所绘八仙真形八幅,这八位神仙是:李已、容成、董仲舒、张道陵、严君平、李八百、长寿、葛永。这显然不是今天所说的八仙。但在此基础上逐步演化出八仙的故事。

宋代出现了大量的神仙故事,今传八仙中大部分在宋代就已流传其仙话,甚至有其祠祀。如吕洞宾、钟离权、蓝采和、何仙姑、曹国舅等都已被纳入道教的神仙谱系中。但八仙作为一个集团的记载,最早出现于元代的杂剧。如马致远的《黄粱梦》和《三醉岳阳楼》,岳伯川的《铁拐李》,范子安的《竹叶舟》,谷子敬的《城南柳》等等。众多杂剧中有八仙出场,说明八仙故事在社会上十分流行,八仙形象极受观众欢迎。但元代杂剧中的八仙名目并不统一,除钟离权、吕洞宾、韩湘子、蓝采和、曹国舅五仙外,另外三仙说法不一,或说是徐神翁、张仙翁、风僧寿、元壶子、李凝阳、刘海蟾等,以及后来定为八仙中人的李铁拐、何仙姑、张果老。直到明代,八仙名目才渐趋统一。明代中后期的吴元泰以八仙的民间故事和杂剧、传说为素材,写了通俗小说《八仙出处东游记》,又名《上洞八仙传》。从此,八仙故事愈传愈广,约定俗成地把八仙名目固定下来了。

八仙传说有很多文学创作的虚构成分,但作为八仙本人,历史上确实存在,只是后来经过民间流传和文学加工,越传越神,以至真假难辨。

张果老的事迹最早见《旧唐书》,他是一位修炼道士,自称有延年秘术而长生不老。唐玄宗曾召他到京城,他向玄宗表演了齿落更生、白发变黑的道术,又能喝苦堇汁酒而不死。张果老的传说就本于唐代张果的故事,这些故事传入民间,越传越神,后来又加入张果老倒骑驴的传说,使之形象更加丰富。

韩湘子是唐代文学家韩愈的侄孙,在唐人写的《酉阳杂俎》里,记载了韩湘能染花变色、花中出现诗名的故事,以及韩愈贬官途中遇韩湘,作诗赠送的故事。后代又加入了吕洞宾度韩湘子等内容,从而使韩湘的故事愈演愈多。

蓝采和的事迹,最早见于南唐沈汾的《续仙传》,说他"不知何许人也,每行歌于城市乞索","持大拍板,长三尺余",衣衫褴褛,常醉酒踏歌游行于市,其最有名的一道歌词为:"踏歌踏歌蓝采和,世界能几何?红颜一春树,流年一掷梭。古人混混去不返,今人纷纷来更多。朝骑鸾凤到碧落,暮见苍田生白波;长景明晖在空际,金银宫阙高嵯峨。"

何仙姑的传说,据史料记载有二个:一为唐代广州何泰女,幼食仙桃与云母粉,遂不饥渴,身轻如燕,洞知人事休咎;一为宋代永州何氏女,幼遇异人与桃食之,遂不饥渴。后来道教的传说,把这两个故事合在一起,以至到明清时代又传出新的内容,说何仙姑为鹿所产,因住于何姓人家,遂姓何,并把所遇的异人说成是吕洞宾,从而传出吕洞宾度何仙姑的故事等。李铁拐作为八仙,是由几个神仙故事附会在一起而形成其仙话的。一是古仙巨神氏,善修炼之学,精于导出元神之术,更名曰李凝阳,常随老子、宛丘先生同游。二是魏晋神仙李八百,精于丹鼎之术,或名李真、或名李脱、或名李阿,传其已有八百岁。李八百的传说至宋代仍有,或言其能顷刻拐行八百里,故名。三是宋代刘跛子的传说,传其遇吕洞宾于君山,习灵龟吞吐之法等。四是唐代的李元中，学道于终南山四十年，至阳神出舍，肉身为虎所残，神无所依，得一跛丐躯体而居，遂成跛状。后代流传的李铁拐的仙话大致是说，他一日修炼思老君真形，遂出神与老君同游，留其魄让弟子守护，后来其魄被焚，神无所依，乃附饿莩之尸而起，遂跛足依仗而行。因此，李铁拐的仙话就是由前代神仙故事附会而来。

钟离权本为五代后晋的将军，打了败仗逃入山中，由此看破红尘，出家学道。由于五代后晋、后汉相隔时间短，亦称其为后汉人。后人爱托古夸诞，遂以钟离权为魏晋前的汉代人，致使钟离权的故事上推了一千年。关于钟离权的传说，最早出现于宋初，至北宋徽宗时，其故事逐渐丰富，并传为吕洞宾的师傅，撰有《灵宝毕法》等道教丹书。

吕洞宾本是唐宋五代的隐者，因修丹炼药、仗剑除恶而留下了救世助人的事迹。至北宋时期，有关吕洞宾的神仙故事越来越丰富，越来越神奇。以致出现了种种灵迹道书，演述吕洞宾的神仙事迹、丹道法术、赞谶经诰等，遂使吕洞宾成为一位道俗共同尊奉的大神。

曹国舅的传说出现于宋代。宋代确实有一位国舅叫曹佾，但他并没有成仙的事迹。神仙中有位叫曹八百的，大概曹国舅的传说就是曹佾和曹八百的事迹结合衍义而来。

总之，八仙的故事是在历史上经过民间文学的加工、附会众多的神仙传说而逐渐形成的。